Un lieu béni

Beignets de tomates vertes (2003)
Daisy Fay et l'homme miracle (1999)

Fannie Flagg

Un lieu béni

traduit de l'anglais (États-Unis)
par Lucie Ranger

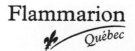

Flammarion

Catalogage avant publication de Bibliothèque et Archives Canada

Flagg, Fannie

    Un lieu béni

    Traduction de : A redbird Christmas.

    ISBN 2-89077-295-0

    I. Ranger, Lucie, 1945- . II. Titre.

PS3556.L26R4414 2005   813'.54   C2005-941625-4

Graphisme de la couverture : Olivier Lasser

Titre original : A Redbird Christmas
Éditeur original : Random House / New York

Tous droits réservés
ISBN 2-89077-295-0
Dépôt légal : 4e trimestre 2005
Imprimé au Canada

www.flammarion.qc.ca

Pour Joni, Kate et Rita

La ville des vents

On était seulement le six novembre et Chicago subissait son deuxième blizzard de la saison. En route pour son rendez-vous, monsieur Oswald T. Campbell avait l'impression de patauger dans la gadoue jusqu'aux chevilles. Quand il arriva enfin, il avait utilisé tous les jurons de son vocabulaire, lequel était assez riche grâce entre autres à un court séjour dans l'armée. La réceptionniste l'accueillit et lui tendit une feuille sur une planchette à pince.

— Nous avons reçu tous vos dossiers médicaux et les formulaires de votre assureur, monsieur Campbell, mais le docteur Obecheck aime avoir un résumé de l'histoire de ses nouveaux patients. Auriez-vous l'obligeance de remplir ceci pour nous ?

Bon Dieu, songea-t-il, pourquoi faut-il toujours remplir quelque document ? Mais il acquiesça gentiment, s'assit et se mit à l'ouvrage.

Nom : *Oswald T. Campbell*

Adresse : *Hotel de Soto, 1428 Lennon Avenue, Chicago, Illinois*

Sexe : *Mâle*

Âge : *52*

Cheveux : *Rares... roux*

Yeux : *Bleus*

Taille : *Un mètre soixante-treize*

Poids : *Soixante-treize kilos*

État civil : *Divorcé*

Enfants : *Non, Dieu merci !*

Plus proche parent vivant : *Mon ex-femme, madame Helen Gwinn, 1457 Hope Street, Lake Forest, Illinois*

Veuillez faire la liste de vos problèmes ci-dessous :

Les Cubs ont besoin d'un nouveau joueur au deuxième but.

Il y avait bien d'autres questions, mais il laissa le reste du formulaire en blanc, le signa et le remit à la jeune fille.

Plus tard, après son examen, il se retrouva tout frissonnant dans une pièce glacée, vêtu seulement d'une chemise d'hôpital grise en coton léger. Une infirmière vint lui dire de se rhabiller ; le docteur le rencontrerait dans son bureau. Non seulement il était gelé jusqu'aux os et endolori d'avoir été sondé et tâté en plein d'endroits sensibles, mais, pour empirer la situation, quand il tenta de remettre ses chaussettes et ses chaussures, elles étaient toujours aussi froides et trempées. En tentant d'essorer ses chaussettes, il ne réussit qu'à répandre de la teinture partout sur le plancher. Il remarqua alors qu'elles avaient coloré ses pieds d'un beau bleu.

— Super, marmonna-t-il tout bas.

Il lança les chaussettes dans la poubelle et sortit dans le couloir, les pieds gargouillant dans ses chaussures de cuir glacées et humides.

Il s'assit dans le bureau pour attendre, impatient et mal à l'aise. Il n'y avait rien à lire, et impossible de fumer puisqu'il avait dit au médecin qu'il avait abandonné la cigarette, ce qui était faux. Il remua les orteils, pour les réchauffer, et regarda autour de lui. Tout était gris dans la pièce. De l'autre côté de la fenêtre, le temps était gris, et le bureau l'était tout autant. Ce serait pourtant facile de peindre les murs d'une autre couleur. Lors de son dernier séjour à l'hôpital des vétérans, une conférencière était venue parler des effets des couleurs sur l'humeur. Quelle connerie que de choisir le gris ! De toute façon, il détestait voir le médecin, mais sa compagnie d'assurances l'obligeait à subir un examen tous les ans, pour donner à un nouvel abruti l'occasion de lui dire ce qu'il savait déjà. Au moins, celui-ci était sympathique et il avait même ri à certaines de ses plaisanteries. Tout ce qu'il souhaitait à présent, c'était que le type se hâte de revenir. La plupart des médecins qu'on l'envoyait consulter étaient vieux et près de la retraite ou à leurs débuts et avaient besoin de cobayes pour s'entraîner. Celui-ci était vieux. Soixante-dix ans ou plus, pensait-il. Cela expliquait peut-être pourquoi il prenait autant de temps. Des murs gris, une moquette grise, une chemise grise, un médecin gris.

La porte s'ouvrit enfin, et le médecin entra avec les résultats des tests.

— Alors, docteur, pourrai-je encore courir le marathon de Boston cette année ? demanda Oswald.

Cette fois, le médecin ignora la tentative d'Oswald de faire de l'humour et s'assit à son bureau, l'air plutôt sombre.

— Monsieur Campbell, dit-il, je ne suis pas très heureux de ce que j'ai à vous annoncer. Je préfère habituellement avoir la présence d'un membre de la famille dans des moments comme celui-ci. Je vois que vous avez indiqué votre ex-femme comme représentante de votre famille proche. Voudriez-vous lui téléphoner et voir si elle peut venir?

Oswald cessa tout net de bouger les orteils et fit un effort d'attention.

— Non, ce n'est pas nécessaire. Y a-t-il un problème?

— J'en ai bien peur, répondit le médecin en ouvrant son dossier. J'ai examiné vos graphiques et vos antécédents de long en large. J'ai même consulté un associé à l'autre bout du couloir, un pneumologue, mais il a malheureusement confirmé mon diagnostic. Monsieur Campbell, je vais vous parler franchement. Dans votre état, vous ne survivrez pas à un autre hiver à Chicago. Vous avez besoin d'aller séjourner ailleurs, dans un climat plus doux, aussi rapidement que possible. Sinon... eh bien, franchement, je ne suis pas certain que vous vivrez jusqu'à Noël.

— Hum? dit Oswald, comme s'il réfléchissait. C'est vrai?

— Oui, c'est vrai. Je suis désolé de vous apprendre que, depuis votre dernier examen, l'emphysème s'est développé à un stade critique. Vos poumons étaient déjà très endommagés et portaient des cicatrices de la tuberculose dont vous avez souffert enfant. À cela se sont ajoutées les nombreuses années pendant lesquelles vous avez abusé de la cigarette, malgré votre bronchite chronique. Je crains que le moindre rhume ne se transforme en une pneumonie fatale.

— C'est vrai? Hum, répéta Oswald, ce n'est pas très encourageant.

Le médecin referma son dossier, se pencha sur son bureau et le regarda droit dans les yeux.

— Non, c'est vrai. Pour être bien honnête, monsieur Campbell, compte tenu de la vitesse alarmante à laquelle votre état s'est détérioré, même si vous allez vivre dans un meilleur climat, le pronostic le plus optimiste que je peux vous donner, c'est un an… peut-être deux.

— Vous me faites marcher, dit Oswald.

Le médecin hocha la tête.

— Non, malheureusement non. À ce stade, l'emphysème exige de trop grands efforts de votre cœur et de vos autres organes. Il n'y a pas que les poumons qui sont affectés. Je ne dis pas cela pour vous apeurer, monsieur Campbell; je vous le dis seulement pour que vous ayez le temps de prendre les mesures nécessaires. De mettre votre patrimoine en ordre.

Stupéfait des nouvelles qu'il venait d'apprendre, Oswald faillit quand même éclater de rire en entendant le mot patrimoine. De toute sa vie, il n'avait jamais eu plus de deux cent cinquante dollars à la banque.

— Croyez-moi, poursuivit le médecin, j'aurais souhaité un meilleur diagnostic.

Et il était sincère. Il détestait avoir à transmettre de mauvaises nouvelles. Même s'il venait tout juste de rencontrer monsieur Campbell, l'aimable petit homme lui avait plu tout de suite.

— Vous êtes certain que vous ne voulez pas que j'appelle quelqu'un pour vous?

— Non, ça va.

— Comment ces nouvelles vont-elles affecter vos projets, monsieur Campbell?

Oswald leva les yeux vers lui.

— Plutôt défavorablement, je dirais, ne croyez-vous pas?

Le médecin était compatissant.

— Bien sûr. Je me demandais simplement quels pouvaient être vos projets.

— Je n'avais rien de précis en tête… mais je n'avais certainement pas prévu cela.

— Non, bien sûr que non.

— Je savais que je ne respirais pas la santé, mais je ne pensais pas que j'approchais de la fin.

— Comme je vous l'ai dit, vous devez quitter Chicago au plus tôt et aller dans un endroit où il y a le moins de pollution possible.

Oswald avait l'air perplexe.

— Mais Chicago, c'est chez moi. Je ne saurais pas à quel autre endroit aller.

— Avez-vous des amis qui vivent ailleurs? En Floride? En Arizona?

— Non, tous ceux que je connais sont ici.

— Ah… et je suppose que votre budget est limité.

— Ouais, c'est juste. J'ai seulement ma pension d'invalidité.

— Hum. Je suppose que la Floride serait trop chère à cette période de l'année.

— J'imagine, acquiesça Oswald, même s'il n'y était jamais allé.

Avec un soupir, le médecin s'appuya contre le dossier de sa chaise, en réfléchissant à la façon de l'aider.

— Voyons voir… Attendez une minute. Il y a un endroit où mon père avait l'habitude d'envoyer tous ses patients qui souffraient des poumons. Si je me souviens bien, les tarifs étaient très raisonnables.

Il regarda Oswald comme pour lui demander de l'aider.

— Quel était le nom de cet endroit ? C'était proche de la Floride…

Le médecin se souvint tout à coup et se leva.

— Savez-vous, j'ai encore tous ses vieux dossiers dans la pièce voisine. Laissez-moi voir si, par chance, je pourrais trouver cette information pour vous.

Oswald regardait fixement le mur gris. Quitter Chicago ? Aussi bien changer de planète !

Il faisait déjà noir et le temps était toujours aussi glacial quand Oswald quitta le bureau du médecin. À l'angle du Wrigley Building, le vent qui soufflait de la rivière le frappa en plein visage et lui arracha son chapeau. Oswald se retourna et le regarda tourbillonner jusqu'à ce qu'il s'arrête, à l'envers, dans le caniveau et se mette à flotter comme un bateau. Tant pis, songea-t-il. Le vent glacial eut tôt fait d'ébouriffer les rares cheveux qui lui restaient, et il commença à avoir mal aux oreilles. Il décida de courir après son chapeau. Quand il l'eut attrapé et remis sur sa tête, il s'aperçut qu'il portait maintenant des chaussures mouillées, sans chaussettes, un chapeau trempé et qu'il venait juste de manquer son bus. Quand un autre finit par arriver, il était complètement engourdi par le froid et ébranlé par les nouvelles qu'il venait de recevoir. En s'asseyant, il aperçut l'annonce du grand magasin Marshall Field's au-dessus de son siège : POUR LE PLUS BEAU DES NOËLS, FAITES VOS ACHATS TÔT CETTE ANNÉE. Il pensa soudain que, dans son cas, il ferait vraiment mieux de s'y mettre tôt ; il était peut-être déjà trop tard. Selon le médecin, s'il vivait jusque-là, ce Noël pourrait bien être son dernier.

Même si Noël n'avait jamais eu beaucoup de signification pour lui, c'était une pensée étrange. Pendant qu'Oswald tentait de se faire à l'idée d'un monde sans lui, le bus, cahotant et avançant par à-coups, descendait péniblement State Street, remplie de voitures roulant pare-chocs contre pare-chocs, dans le tintamarre des coups de klaxon furieux donnés par des conducteurs impatients. Les passagers qui montaient dans le bus ne semblaient pas de meilleure humeur.

— Autrefois, un gentleman se levait pour offrir sa place à une dame, dit une femme à son amie.

Il songea en lui-même, madame, si je pouvais me lever, je le ferais, mais il ne sentait plus ses pieds.

Après environ cinq minutes, quand il put enfin bouger les doigts, il fouilla dans sa poche et en tira la brochure que le médecin lui avait donnée. Sur la première page se trouvait la photo de ce qui semblait être un grand hôtel, mais c'était difficile à estimer. La brochure était défraîchie et semblait avoir été endommagée par l'eau, mais le texte était encore lisible.

HÔTEL WOODBOUND
DANS LE SUD ENSOLEILLÉ
SOUS UNE NOUVELLE DIRECTION

Horace P. Dunlap
Autrefois de Gibson House, Cincinnati, Ohio

Dans le sud de l'Alabama, le long des berges d'une rivière paresseuse et sinueuse, se

trouve une petite communauté endormie, ap-
pelée Lost River, un endroit où le temps lui-
même semble s'être arrêté.

SITUATION

Cette agréable station climatique est nichée
entre les baies Perdido et Mobile, dans une zone
subtropicale, ce qui en fait l'endroit rêvé pour
un séjour d'hiver. Vers le sud se trouve le golfe
du Mexique, dont les douces brises semblent
toujours tempérer le climat. Le voisinage d'une
vaste étendue d'eau salée produit une atmo-
sphère chargée d'ozone, de chlore et d'autres
éléments vivifiants. Contrairement à l'hiver
triste et morne qui règne dans les États du nord,
on trouve ici la chaleur et la végétation luxu-
riante du sud, où une journée sombre est l'ex-
ception et où dominent un ciel d'azur et un
soleil abondant. À l'époque où cette région du
pays était occupée par les Espagnols, on l'appelait « Les lieux enchantés ».

CONDITIONS VIVIFIANTES

Plusieurs personnes phtisiques, rhumati-
santes, nerveuses, épuisées ou surmenées ont retrouvé la santé et ont eu l'impression de renaître
après un séjour de quelques mois dans notre
région ; l'influence des brises salines du golfe
vous redonnera de l'appétit, même s'il y a bien
longtemps que vous n'avez pas pris plaisir à

manger. C'est l'endroit idéal pour vous détendre complètement et oublier le tourbillon des activités de la vie sociale et le bruit de la ville. Peu importe à quel point votre système nerveux est détraqué, il retrouvera la sérénité. Pour un centre de villégiature d'hiver, le climat est idéal et l'eau de source cristalline qu'on trouve partout est incomparable. « Je dirais de toute la région que c'est un des jardins de l'Amérique », dit le docteur Mark Obecheck de Chicago.

Oswald songea que ce devait être le père de son médecin. Il tourna la page et, dans l'autobus toujours aussi cahotant, poursuivit sa lecture.

COMMENTAIRES DE VISITEURS

Cher monsieur Dunlap,

Nous avons énormément aimé pêcher, faire du bateau et nous promener agréablement dans les forêts de pins touffues. Et aussi le doux chant de l'oiseau moqueur tôt le matin et l'air parfumé qui embaumait notre chambre.

Monsieur S. Simms. Chicago, Illinois

Une autre photo pâlie: LA RIVIÈRE VUE DE LA GRANDE VÉRANDA. Oswald tourna la page.

J'ai quitté le nord, les blizzards, la neige et la bise
Pour le sud ensoleillé où souffle une douce brise

(Un poème de madame Deanne Barkley de Chicago, inspiré par un séjour récent)

Une autre photo délavée : MONSIEUR L. J. GRODZIKI ET SA BELLE PRISE.

LE PARADIS DU PÊCHEUR!

Les ressources halieutiques sont abondantes dans nos eaux méridionales. Voici une liste non exhaustive des espèces présentes : le rouget, la truite argentée et mouchetée, le brochet, la plie, le mulet, la perche, le poisson-chat et le tarpon (parfois appelé le roi argenté). Les huîtres, les crevettes et les palourdes foisonnent.

Encore une photo pâlie avec la légende suivante : UN GROUPE DE GENTLEMEN DE CHICAGO QUI FUMENT AVEC PLAISIR APRÈS UN REPAS D'HUÎTRES.

Oswald tourna la page et y vit une photo dont l'intérêt lui échappait : UN ROSIER SOUS LEQUEL TRENTE PERSONNES PEUVENT TENIR CONFORTABLEMENT!

À l'approche de son arrêt, il remit la brochure dans sa poche. Qui diable pouvait bien vouloir se tenir sous un rosier avec trente autres personnes, que ce soit confortable ou pas?

À son arrivée à l'Apparthôtel De Soto pour hommes, où il vivait depuis huit ans, quelques pensionnaires regardaient la télévision dans le hall. Ils le saluèrent.

— Comment ça s'est passé?

— Horriblement mal, dit-il en se mouchant. Je serai peut-être mort avant Noël.

Ils éclatèrent de rire, croyant qu'il blaguait, et continuèrent à regarder le bulletin d'informations.

19

— Non, je suis sérieux. Le docteur dit que je suis dans un état lamentable.

Il attendait une réaction, mais les autres ne lui prêtaient aucune attention, et il était trop fatigué pour insister. Il monta à sa chambre, prit un bain, enfila son pyjama et s'assit dans son fauteuil. Il alluma une cigarette et regarda dehors l'affiche au néon bleue de la bière Pabst Blue Ribbon dans la vitrine de son bar préféré du voisinage, de l'autre côté de la rue. Merde, songea-t-il. À un moment comme celui-ci, un homme devrait pouvoir écluser un petit verre.

Mais un an plus tôt, un autre médecin lui avait annoncé que son foie était fichu et que, s'il prenait un seul autre verre, il en mourrait. Et alors ? Maintenant qu'il allait mourir de toute façon, ce ne serait peut-être pas une si mauvaise idée de s'achever avec de l'alcool. Ce serait sûrement rapide et, au moins, il aurait l'occasion de rire un peu avant sa mort.

Il caressa l'idée de s'habiller et de traverser la rue, mais il y renonça. Il avait promis à Helen de rester sobre et il s'en voudrait de la décevoir encore une fois. Il resta assis dans son fauteuil en essayant de s'apitoyer sur son sort. Il n'avait jamais eu de chance. Il avait fait une première attaque de tuberculose à l'âge de huit ans, comme soixante-quinze pour cent des autres enfants de l'orphelinat St. Joseph's pour garçons, et il avait fait de fréquents séjours à l'hôpital pour des pneumonies et une bronchite chronique. Comme il était orphelin, il n'avait jamais su qui il était ni d'où il venait. La personne qui l'avait abandonné sur les marches d'une église, une nuit, n'avait laissé aucun indice, sauf le panier dans lequel il se trouvait et une boîte de soupe Campbell. Il n'avait aucune idée de son vrai nom. Oswald était le prénom suivant sur la liste de St. Joseph's et, à cause de la soupe, on lui donna le nom de Campbell et l'initiale T, pour tomates, parce que c'était de la soupe aux tomates qui se trouvait à côté de lui dans le panier. Il ne connaissait pas plus sa nationalité. Un jour, alors qu'il avait à peu près douze ans, un prêtre avait regardé attentivement son nez plutôt gros, ses cheveux roux et ses petits yeux bleus qui louchaient.

— Campbell, si ce n'est pas une bouille d'Irlandais, je veux bien être pendu, avait-il remarqué.

Alors, Oswald s'était imaginé qu'il était Irlandais. Ce qui ne l'avait pas aidé dans sa propension à boire beaucoup d'alcool.

Mais il n'y avait pas eu seulement son alcoolisme. Rien n'avait été facile pour lui : l'école, les sports, les filles. Il n'avait jamais réussi à garder un emploi longtemps ; même l'armée l'avait renvoyé pour des problèmes de santé. Oswald avait l'impression que tous les autres, sauf lui, venaient au monde avec un livret d'instructions. Depuis le début, il s'était toujours senti comme une paire de chaussettes blanches, avec des chaussures brunes, dans une pièce remplie de smokings. Il n'avait jamais vraiment eu de chance dans la vie et, maintenant, c'était fini.

Après avoir essayé pendant près d'une heure de ressentir le plus de compassion possible pour lui-même, il s'aperçut soudain qu'il n'était pas si affligé que ça ! Du moins pas aussi affligé qu'un homme devrait l'être quand on vient de lui annoncer sa fin prochaine. Pour dire vrai, les deux seules choses qui lui manqueraient vraiment, ce seraient les parties des Cubs et Helen, malheureusement dans cet ordre, ce qui avait d'ailleurs été l'une des causes de leur divorce.

Honnêtement, Helen serait probablement la seule personne à qui il manquerait. Même si elle était remariée et avait deux enfants, elle restait très proche de lui. Un temps, il allait dîner chez elle assez souvent, mais plus maintenant. Son nouveau mari était une espèce de crétin et ses deux enfants, autrefois de jeunes garçons désagréables, étaient devenus des adolescents désagréables et braillards, qui lui causaient bien des soucis. Il ne pouvait plus aller chez elle sans avoir envie de les étrangler, individuellement ou les deux à la fois, alors il n'y allait plus. Impossible de dire à quelqu'un d'autre comment élever ses enfants, surtout que la seconde cause du divorce était qu'elle en voulait et lui pas. Comme il avait passé les dix-sept premières années de sa vie dans une pièce où cinq cents autres enfants braillaient et hurlaient, il en avait eu assez des mômes pour tout le reste de sa vie. Pourtant, malgré son indifférence apparente au sujet de son départ prochain et son ignorance du protocole à respecter en pareil cas, il supposait qu'il devrait informer quelqu'un de son pronostic. Il pensa qu'il devrait au moins le dire à Helen. Pourquoi? Étant donné le genre de femme qu'elle était, une ancienne infirmière et une personne gentille, si elle apprenait à quel point il était malade, elle l'inviterait avec insistance à venir vivre chez elle, pour pouvoir prendre soin de lui. Pourquoi lui imposer cela? Pourquoi l'inquiéter? Elle ne le méritait pas. Il lui avait déjà causé suffisamment d'ennuis. Elle avait assez de ses propres problèmes et, de plus, il y avait les deux adolescents.

Non, conclut-il, la meilleure chose qu'il pouvait faire pour elle, c'était de partir et de la laisser poursuivre sa vie en paix. Ainsi, s'il voulait boire un petit verre, personne ne le saurait ni ne s'en inquiéterait. Il lui suffirait de trouver un endroit qu'il avait les moyens de s'offrir avec sa petite pension du gouvernement de six cents dollars par mois.

Il alla chercher son manteau, s'assit, prit la brochure du Woodbound Hotel dans la poche et tourna la page à l'endroit où Horace P. Dunlap demandait au lecteur :

POURQUOI ALLER EN FLORIDE?

Pourquoi aller en Floride, avec ses marécages et son insuffisance d'eau salubre? Pourquoi aller au Nouveau-Mexique et être exposé aux sables alcalins? Pourquoi aller en Californie, avec ses maisons froides et inconfortables, à cinq ou six mille kilomètres de chez soi, alors qu'on peut se rendre de Chicago au Baldwin County en trente-six heures? Sur les berges de la rivière poussent de magnifiques forêts d'essences recherchées. En voici quelques variétés : le magnolia, le pommier, le pin cubain, le frêne, l'érable, des conifères et le thuya d'Occident, sans compter une grande variété d'arbustes et la mousse espagnole qui pend des chênes vivants. Les agrumes satsuma, les pacanes, les kumquats, les poires, les figues et les pommes abondent. Ici, les hivers ressemblent au printemps ou au début de l'automne dans le nord. En fait, on peut se promener dans la nature très confortablement presque tous les jours de l'année... Le long de la rivière, les canards, les oies, les dindons sauvages, les colombes, les cailles, les ratons laveurs et les écureuils pullulent. Il y a ici de nombreuses sources d'eau cristalline et on trouve de l'eau potable à peu de profondeur. En raison du climat doux, toutes les variétés de fruits et de légumes sont mûres environ deux semaines avant de l'être dans les autres régions du pays. Que signifie cela pour ceux qui veulent retrouver la santé? Le soulagement et la guérison pour ceux qui souffrent de bronchite, de catarrhe et de pneumonie et le rétablissement des tuberculeux. Le recouvrement rapide des forces pour les rares personnes qui attraperaient la grippe dans notre région. Cela signifie des ébats dans la nature pour les garçons ou les fillettes délicates, le plaisir de cueillir de magnifiques fleurs à Noël.

LOUEZ UNE CHAMBRE RAVISSANTE OU UN JOLI PETIT BUNGALOW

Nous vous invitons chaleureusement à venir visiter notre belle région. Elle est aussi vaste que Chicago, sauf qu'il n'y a pas autant de maisons. Ne dites pas que ce ne sont que des exagérations. Venez chez nous et vous verrez vous-mêmes le soleil, les fleurs et les orangers en fleurs en décembre.

Sur la dernière page, il y avait une chanson, paroles et musique.

ALABAMA DE RÊVE
Paroles et musique de Horace P. Dunlap

Tombent les ombres de la nuit
sur la terre méridionale,
le cri de l'engoulevent bois-pourri
sous les étoiles dans le ciel abyssal.

Alabama de rêve où attendent des gens charmants,
mon cœur se tourne tout le jour vers toi
Alabama de rêve, avec tes oiseaux gazouillant
pour me souhaiter la bienvenue de leur voix.

La rivière sinue lentement,
entre les pins qui bruissent,
comme une coulée d'argent
avec tout là-haut la lune lisse.

Oswald posa la brochure. C'était probablement un des endroits les plus ennuyeux d'Amérique, mais il devait accorder crédit à Horace P. Dunlap. Il faisait vraiment tout son possible pour vous donner envie d'aller à son hôtel. Il y avait mis le paquet. Demain, il téléphonerait à ce bon vieil Horace, verrait combien cela lui coûterait pour louer une chambre ravissante ou un joli petit bungalow et s'informerait du bar le plus proche.

Allo, téléphoniste

Le lendemain matin, après sa quinte de toux habituelle de trente à quarante-cinq minutes, Oswald alluma sa première cigarette, décrocha le téléphone et composa le numéro indiqué sur la brochure.

— Je suis désolée, monsieur, mais ce numéro n'est pas valide. Êtes-vous certain d'avoir le bon numéro?

— Je sais que c'est le bon numéro. Je l'ai sous les yeux.

— Quel indicatif régional essayez-vous d'appeler?

— Je ne sais pas. Je cherche le Woodbound Hotel à Lost River dans Baldwin County, Alabama.

— Je vais vous mettre en communication avec la téléphoniste de cette région.

— Que puis-je faire pour vous? lui demanda une autre téléphoniste un instant plus tard.

— J'essaye de joindre le Woodbound Hotel.

— Un moment, monsieur, je cherche le numéro pour vous tout de suite.

La téléphoniste avait un accent du sud tellement prononcé qu'il crut qu'elle se moquait de lui.

— Je suis désolée, monsieur, mais je n'ai pas d'inscription pour le Woodbound Hotel dans Baldwin County.

— Je vois. Où êtes-vous ?

— Je suis à Mobile.

— Est-ce en Alabama ?

— Oui, monsieur.

— Avez-vous déjà entendu parler d'un endroit qui s'appelle Lost River ?

— Non, monsieur, jamais.

— Y a-t-il une inscription quelconque à cet endroit ?

— Un instant. Je vais vérifier pour vous… Monsieur, j'ai une inscription pour le centre communautaire de Lost River et une pour le bureau de poste. Voudriez-vous que je compose un de ces numéros pour vous ?

— Oui, essayons le premier. On pourra peut-être m'y informer.

Quelques minutes plus tôt, madame Frances Cleverdon, une jolie femme un peu grassouillette, aux cheveux doux comme de la barbe à papa, et sa sœur cadette, Mildred, venaient tout juste d'entrer par l'arrière dans le centre communautaire en passant par la cuisine. Avec les vingt-deux degrés qu'il faisait à l'extérieur, la grande salle était chaude et sentait le renfermé. Elles ouvrirent toutes les fenêtres et mirent en marche les ventilateurs au plafond. C'était le premier samedi du mois. Ce soir, il y aurait la réunion mensuelle et le dîner à la bonne franquette de l'Association communautaire de Lost River. Elles étaient venues tôt, apporter ce qu'elles avaient apprêté pour le repas et décorer la salle pour la soirée. Frances avait deux plats couverts, l'un contenant une salade de haricots verts, l'autre un macaroni au fromage, et plusieurs desserts.

Mildred, qui avait préparé du poulet frit et un rôti de porc, entendit la première la sonnerie du téléphone, mais elle l'ignora. Quand Frances revint de la voiture, Mildred lui dit :

— Ne réponds pas. C'est probablement mademoiselle Alma, et nous n'arriverons jamais à nous en débarrasser.

Après un autre aller-retour à la voiture pour y prendre deux gâteaux et trois tartes aux pacanes, le téléphone sonnait toujours.

— Tu sais qu'elle n'abandonnera pas, dit Frances en décrochant le combiné une seconde avant qu'Oswald raccroche.

— Allo ?

— Allo ! dit-il.

— Allo ? répéta-t-elle.

— Qui est-ce ?

— C'est Frances. Qui est là ? demanda-t-elle avec le même accent du sud que la téléphoniste.

— Je suis Oswald Campbell et je cherche le numéro d'un hôtel.

— Eh bien, monsieur Campbell, vous êtes au centre communautaire.

— Je sais. C'est la téléphoniste qui m'a donné ce numéro.

— La téléphoniste ? D'où appelez-vous ?

— De Chicago.

— Oh, mon Dieu !

— Auriez-vous, par hasard, le numéro du Woodbound Hotel ? C'est un centre de santé qui est censé être dans votre région.

— Le Woodbound Hotel?

— En avez-vous déjà entendu parler?

— Oui, j'en ai entendu parler... mais il n'est plus là.

— Est-il fermé?

— Non, il a brûlé.

— Quand?

— Juste une minute, je vais voir si ma sœur le sait. Mildred, quand le vieil hôtel a-t-il été détruit par le feu? Mildred lui jeta un regard intrigué.

— Vers 1911, pourquoi?

— Monsieur Campbell, c'était en 1911.

— En 1911? Vous plaisantez!

— Non, on dit qu'il a été rasé en moins d'une heure.

— Oh! Eh bien... pourriez-vous me donner le nom d'un autre hôtel où je pourrais appeler?

— Ici?

— Oui.

— Il n'y en a pas.

— Oh.

— Il y en a déjà eu quelques-uns, mais plus maintenant. Puis-je vous demander comment diable vous avez entendu parler du vieux Woodbound si loin dans le nord, à Chicago?

— Mon médecin m'a donné une brochure. Mais il est évident qu'elle est périmée. Merci quand même.

— Une seconde, monsieur Campbell, dit-elle avant de crier à sa sœur : Mildred, ferme la porte moustiquaire, tu laisses entrer les mouches. Excusez-moi, monsieur Campbell. Quel genre d'endroit cherchez-vous?

— Seulement un endroit où je pourrais passer quelques mois cet hiver, pour échapper au froid un certain temps. J'ai un petit problème avec mes poumons.

29

— Oh, mon Dieu ! Que c'est malheureux !

— Mon médecin dit que je dois quitter Chicago le plus tôt possible.

— Je comprends. J'imagine qu'il fait froid là-haut.

— Oui, dit-il en essayant de rester poli malgré sa hâte de raccrocher.

Cet appel allait lui coûter cher, mais madame Cleverdon ne s'arrêtait pas de parler.

— Eh bien, il fait chaud ici. Nous avons dû ouvrir les fenêtres et mettre tous les ventilateurs en marche. Oh ! Attendez une minute, monsieur Campbell, je dois aller fermer cette porte…

En patientant, il entendit effectivement des oiseaux gazouiller en bruit de fond, malgré la distance. Probablement de maudits engoulevents bois-pourri, songea-t-il, et ils lui coûtaient cher.

Frances reprit le combiné.

— Me voici, monsieur Campbell. Cherchez-vous un endroit pour votre femme et vous ou seulement pour vous ?

— Seulement pour moi.

— Avez-vous essayé ailleurs ?

— Non, je voulais commencer par là, ça semblait un endroit agréable. Eh bien, merci quand même.

— Monsieur Campbell, attendez une minute. Donnez-moi votre numéro. Je vais voir si je peux trouver quelque chose pour vous.

Il lui donna son numéro juste pour pouvoir enfin raccrocher. Quelle place de fous ! Tenir des conversations interminables avec n'importe quel étranger qui téléphonait par hasard !

❖

Après avoir posé les fleurs sur les deux longues tables dans la grande salle, Mildred revint dans la cuisine.

— À qui as-tu parlé si longtemps?

— Un pauvre homme de Chicago qui a des problèmes avec ses poumons et qui cherche un endroit où passer l'hiver. Son médecin lui a donné une brochure sur ce vieil hôtel, et il pensait qu'il aimerait venir ici. Je me demande pourquoi cet hôtel a brûlé.

Elle alla sortir l'énorme cafetière.

— On a parlé de rats et d'allumettes.

— Mon Dieu! s'exclama Frances en ouvrant une grosse boîte brune de café A&P Eight O'Clock. On raconte vraiment n'importe quoi!

Vers quinze heures, le lendemain après-midi, Oswald allait décrocher le combiné pour faire un autre appel en Floride quand la sonnerie retentit.

— Allo?

— Monsieur Campbell, je suis Frances Cleverdon, la dame à qui vous avez parlé hier en Alabama. Vous souvenez-vous de moi?

— Oui, bien sûr.

— Écoutez, avez-vous trouvé ce que vous cherchiez?

— Non, non pas encore, rien qui soit dans mes moyens en tout cas.

— Je vois. Eh bien, si vous avez encore l'intention de venir ici, je crois que j'ai trouvé quelque chose pour vous. Il y a une très gentille dame, ma voisine, qui m'a dit qu'elle serait heureuse de vous louer une chambre aussi longtemps que vous le voudrez.

— Hem, dit Oswald. Combien croyez-vous qu'elle me demanderait?

— Elle m'a parlé de cinquante dollars par semaine. Ce serait parfait pour elle, si ça vous convient. Évidemment, cela inclurait tous les repas. Est-ce trop cher?

En considérant sa pension de six cents dollars par mois et la petite rente versée par le gouvernement depuis qu'il avait été réformé pour cause de santé, Oswald calcula qu'il pouvait se le permettre. Les endroits où il avait appelé en Floride lui demandaient le double de cette somme.

— Non, ce tarif me paraît correct. Quand la chambre serait-elle libre?

— Betty dit que vous pouvez venir n'importe quand, le plus tôt sera le mieux; la rivière est si jolie à cette période de l'année. Mais tout d'abord, monsieur Campbell, avant que vous vous décidiez, je dois vous prévenir de quelque chose. Nous sommes un tout petit patelin ici, nous n'avons qu'une épicerie et un bureau de poste, mais si vous voulez du temps chaud et du calme, je peux vous assurer que vous n'en manquerez pas.

— Ça me semble bien, mentit-il.

Il ne pouvait imaginer rien de pire, mais le prix lui convenait. Il songea qu'il devait sauter sur l'occasion avant que les gens de là-bas changent d'idée.

— D'accord, dit-elle. Rappelez-moi pour me dire quand vous arriverez et nous enverrons quelqu'un vous prendre.

— D'accord.

— Autre chose, monsieur Campbell, juste pour que vous le sachiez. Nous sommes très accueillants et sociables ici, et de bons voisins quand on a besoin de nous, mais personne ne va vous déranger à moins d'une demande de votre part. De façon générale, nous ne nous mêlons pas des affaires des autres.

Ce que Frances avait dit à monsieur Campbell était vrai. Les gens de Lost River ne se mêlaient effectivement pas des affaires des autres. Cependant, après l'avoir dit, Frances, romantique dans l'âme, ne put s'empêcher de rêver. Avec quatre veuves et trois femmes célibataires dans le village, l'arrivée d'un homme libre présentait un intérêt certain. Sa sœur Mildred faisait partie des célibataires. Frances était veuve, mais elle ne s'incluait pas dans la course. Elle avait vécu un mariage heureux pendant vingt-sept ans et elle était parfaitement satisfaite de vivre de ses souvenirs, mais pour les autres femmes, elle était prête à courir le risque. Après tout, en tant que presbytérienne, elle croyait fermement en la prédestination. Par ailleurs, le jour où monsieur Campbell avait appelé était tombé le premier samedi du mois, habituellement le seul jour où il y avait quelqu'un au centre communautaire, et cela ne pouvait pas être une simple coïncidence. Ne serait-ce pas merveilleux qu'il devienne le chevalier servant d'une de ces dames, dans son armure étincelante? Le seul autre célibataire à Lost River était Roy Grimmitt, qui tenait l'épicerie. Mais avec ses trente-huit ans, il était trop jeune pour la plupart des femmes. De plus, après ce qu'il avait vécu, il semblait devoir rester célibataire pour le reste de ses jours. Dommage, songea-t-elle, parce que c'était un bel homme, et gentil, mais elle le comprenait mieux que quiconque. Quand on a connu le vrai amour, on ne veut personne d'autre.

Le magasin

Roy Grimmitt, qui tenait l'épicerie de Lost River, était un homme grand et sympathique, que tout le monde aimait. À part les Créoles dont les familles habitaient de l'autre côté de la rivière depuis les années mille sept cent, il était aussi une des rares personnes nées et élevées dans la région. Roy avait hérité le magasin de son oncle, qui l'avait tenu pendant cinquante ans. L'affiche en tôle de Coca-Cola, posée sur le devant de l'édifice en brique, annonçait simplement GRIMMITT'S GROCERY, mais c'était beaucoup plus que cela. C'était un point de repère. Si le magasin n'avait pas été là, sur le coin, la plupart des gens seraient passés sans s'arrêter, sans se douter de la présence de la rivière et de toute la communauté qui vivait là. C'était là que la soixantaine de résidents faisaient leurs courses et échangeaient les nouvelles, bonnes ou mauvaises. C'était un arrêt obligé pour les nombreux pêcheurs de la région, l'endroit où ils achetaient leurs leurres et leurs appâts vivants et où ils se mentaient mutuellement sur le nombre de leurs prises – sauf Claude Underwood, le meilleur pêcheur du coin, qui ne disait jamais combien il avait pris de poissons ni où il les avait pris. Devant le magasin, il y avait deux pompes à essence. L'intérieur était simple, avec des planchers de bois et un comptoir de viande à l'arrière. L'unique élément décoratif était la grande collection d'animaux empaillés sur les murs, poissons, gibiers à plumes et têtes de cerfs, et un renard roux sur le dessus d'une étagère dans le fond. Un Créole, Julian LaPonde, le seul taxidermiste de la région, avait autrefois été un bon ami et compagnon de poker de l'oncle de Roy. La plupart des produits en vente dans le magasin étaient locaux. Roy achetait sa viande de chasseurs du pays et avait toujours en abondance des crevettes, du crabe, des huîtres fraîches du golfe et des poissons de la rivière. Le lait, les œufs, les fruits et les légumes venaient de fermes voisines. Comme c'était l'unique magasin du coin, en plus de la nourriture et de l'essence, Roy vendait de tout, des gants de travail, râteaux, pelles et paniers pour les récoltes aux bottes en caoutchouc. Les enfants adoraient y aller à cause de la grande variété de bonbons, chips, glaces et de la profonde glacière de sodas, à côté de la porte d'entrée, remplie de tout ce dont on pouvait avoir envie : Orange Crush, bière de gingembre, Grapettes, Dr Pepper et RC Cola. Tout ce que vous pouviez souhaiter, Roy l'avait. Mais il avait aussi un attrait que nul autre magasin au monde ne possédait.

Cinq ans plus tôt, quelques semaines après Noël, Roy avait entendu des coups de feu derrière le magasin. Deux enfants, qui vivaient au fond des bois, avaient reçu en cadeau cette année-là des fusils à plombs très puissants et tiraient sur tout ce qui bougeait. Roy était lui-même chasseur et pêcheur, mais ces maudits petits garnements tiraient sur n'importe quelle proie et la laissaient ensuite mourir sur place. Roy détestait cela. Il était sorti par la porte arrière pour les engueuler.

— Hé! vous là-bas, arrêtez ça!

Ils s'étaient aussitôt enfuis dans les bois, mais ils venaient de tirer sur un animal qui était encore en vie et se traînait sur le sol. Rock s'était approché et l'avait ramassé. C'était un oisillon.

— Petits salauds!

C'était une toute petite chose grise et brune, en piteux état, si jeune que Roy n'avait pu identifier ce que c'était. Sans doute un moineau, un moqueur ou une sorte de passereau. Il avait souvent ramassé des oiseaux morts ou blessés sur lesquels ces garçons avaient tiré, mais c'était de loin le plus jeune. Il n'avait probablement pas encore appris à voler. Même s'il savait qu'il ne pouvait pas le sauver, il avait rentré le petit oiseau dans le magasin, l'avait enveloppé dans une vieille chaussette et placé dans un coin chaud et sombre de son bureau, pour lui éviter de se faire dévorer par un faucon, un hibou ou un autre prédateur. Il pouvait au moins épargner ce genre de fin à l'oisillon et le laisser mourir en paix. Il ne pouvait rien faire de plus pour lui.

Les enfants des environs étaient plutôt gentils, et Roy s'entendait bien avec eux, mais ces deux nouveaux garçons étaient vraiment rustres. Personne ne savait qui ils étaient ni d'où ils venaient. On pensait que leur famille vivait dans une roulotte déglinguée au fond des bois. Roy n'avait jamais vu les parents, mais il avait vu ces garnements lancer des pierres à un chien et il n'avait plus voulu avoir affaire à eux, encore moins maintenant. Quiconque tirait délibérément sur un oisillon méritait la fessée. S'il pouvait les attraper, il s'en chargerait.

Le lendemain matin, quand Roy avait ouvert le magasin, il avait presque oublié le petit oiseau, quand il entendit un piaulement dans la chaussette. Il s'était approché et y avait touché. L'oisillon avait sorti la tête, le bec grand ouvert, encore très vivant et impatient d'avoir son petit-déjeuner.

— Eh bien, je n'en reviens pas, petit coquin ! s'était exclamé Roy, tout surpris.

Il ne savait plus quoi faire. C'était le premier oiseau blessé qu'il ait ramassé à avoir survécu jusqu'au lendemain, mais cette petite bête était vraiment vivante et se débattait follement. Il avait décroché le téléphone et appelé son ami vétérinaire qui habitait à Lillian, un village distant de quinze kilomètres.

— Hé ! Bob, j'ai un bébé oiseau ici, je crois qu'il a été atteint par une balle.

Son ami n'avait pas paru surpris.

— Encore ces enfants avec le fusil à plombs ?

— Ouais.

— Quelle sorte d'oiseau ?

— Je ne sais pas, répondit Roy en regardant l'oisillon. Il est plutôt laid… il a l'air d'une sorte de poule couverte de boue. Il est gris et brun, je crois. C'est peut-être un moineau ou un moqueur ou – oh, je ne sais pas ce que c'est, mais il semble affamé. Devrais-je le nourrir ?

— Bien sûr, si tu veux.

— Que devrais-je lui donner ?

— La même chose que sa mère lui donnerait : des vers, des insectes, un peu de viande crue. Après tout, Roy, tu es sa mère à présent, dit-il en riant.

— Super, je n'avais vraiment pas besoin de ça.

— Et Roy...

— Quoi ?

— Sérieusement, il ne survivra probablement pas, mais tu devrais essayer de te débarrasser de ces garçons. Sinon, ton oiseau mourra sûrement.

Roy était allé chercher l'oiseau et l'avait examiné. Il avait été surpris de l'énergie avec laquelle celui-ci piaillait et se débattait afin de se libérer. Après lui avoir déployé les ailes, Roy avait constaté que quatre plombs s'étaient logés sous son aile droite, près de la poitrine. À l'aide d'une pince à épiler, il lui avait fallu quelques essais pour réussir à retirer délicatement les plombs un par un pendant que l'oiseau continuait de se débattre.

— Je m'excuse, mon petit, je sais que ça fait mal, mais je dois les enlever.

Il avait ensuite désinfecté la blessure avec de l'alcool et remis l'oiseau dans la chaussette. Puis, dans la partie du magasin où il gardait les appâts vivants, il avait pris un gros ver de terre rouge et quelques larves. Avec une lame de rasoir, il avait émincé le tout pour en faire un bon petit-déjeuner pour l'oiseau, qui avait tout gobé et en avait réclamé encore.

Roy avait gardé l'oisillon dans son bureau. Il ne voulait pas que l'on sache qu'il nourrissait lui-même un bébé oiseau, trois fois durant le jour et deux fois pendant la nuit. Il n'avait pas envie de se faire taquiner par ses amis. Après tout, il était un solide gaillard de près d'un mètre quatre-vingt-dix et, s'ils l'avaient vu prendre soin d'un petit oiseau, il leur aurait sans doute semblé efféminé. À mesure que le temps passait, Roy s'efforçait de ne pas trop s'attacher ; il savait combien les oiseaux étaient fragiles et comme il était difficile de les garder en vie. Chaque matin, il s'attendait presque à le trouver mort, mais quand il ouvrait la porte et entendait l'oiseau gazouiller, il était secrètement heureux comme un roi et fier de cet oisillon qui s'accrochait à la vie. Il n'avait jamais vu personne manifester une telle volonté de vivre, mais il n'en avait toujours pas dit mot à qui que ce soit. Il avait l'intention de continuer à le nourrir et, s'il survivait, il le libérerait lorsqu'il serait assez vieux pour voler.

Plusieurs semaines étaient passées. L'oiseau devenait de plus en plus fort et, bientôt, il s'était mis à sautiller dans toute la pièce, en essayant de battre des ailes, mais il ne semblait pas capable de décoller. Roy avait remarqué qu'il tombait toujours du côté droit. Comme cela se répétait, il avait commencé à s'inquiéter pour lui. Un jour, il l'avait mis dans une boîte à chaussures et l'avait emporté à la clinique de son ami Bob.

— Cette aile est vraiment trop endommagée, Roy, avait dit le vétérinaire après avoir examiné l'oiseau. Il ne sera jamais capable de voler comme il le devrait et il ne survivra certainement pas en pleine nature.

Roy s'était senti comme si on venait de lui asséner un coup dans l'estomac.

— Penses-tu ? avait-il demandé en tentant de dissimuler sa déception.

— Oui, je le crois. Tu ne devrais pas garder un oiseau sauvage comme celui-ci à l'intérieur. Ce serait vraiment cruel.

— Ouais, je suppose que tu as raison. J'espérais juste qu'il s'en sortirait.

— Je peux le faire pour toi tout de suite, si tu veux.

— Non, c'est mon oiseau. Je vais m'en occuper.

— D'accord, à toi de décider. Je vais te donner une bouteille de chloroforme. Tu n'auras qu'à en mettre un peu sur un tampon d'ouate et à le tenir sur son bec ; il ne sentira rien. Il va simplement s'endormir.

Roy avait remis l'oiseau dans la boîte à chaussures et il était revenu chez lui. Pendant tout le trajet, il entendait l'oiseau sautiller dans la boîte et essayer d'en sortir. Son ami avait raison, ce serait cruel de garder un être fait pour être libre enfermé à l'intérieur. Ce soir-là, il avait donné à l'oiseau tout ce qu'il avait voulu manger et, vers vingt et une heures, il s'était assis et avait pris la bouteille de chloroforme et un tampon d'ouate. Toujours assis, il avait regardé l'oiseau sautiller partout dans la pièce, se jeter sur tout ce qu'il voyait et picorer les papiers sur le bureau. Il l'avait pris et examiné plus attentivement sous la lumière. Il avait alors remarqué que certaines de ses plumes commençaient à tourner du brun au rouge. En continuant son examen, il avait aperçu une crête naissante à l'arrière de sa tête et un masque noir commençant à se former autour de ses yeux. Il avait mis le doigt dessus. C'était un cardinal ! Quelle pitié, avait-il songé ; cette petite bête n'aurait pas la chance de grandir et de devenir le merveilleux oiseau qu'il était destiné à être. Merde ! Tout à coup, Roy avait eu envie d'aller dans les bois, de trouver ces deux garçons et de les rosser sur-le-champ. Enfin, après avoir passé quelques heures à observer l'oiseau, Roy s'était levé et avait jeté la bouteille dans la poubelle.

— Oublions tout ça, mon pote. À demain matin.

Il avait éteint et était allé se coucher. Il n'aurait pas été plus capable de chloroformer cet oiseau que de voler jusqu'à la lune.

Après cette nuit, Roy s'était mis à garder l'oiseau avec lui, dans le magasin. Peu à peu, la rumeur s'était répandue qu'un bébé cardinal vivait à l'épicerie et tous ceux qui le voyaient en étaient très excités. Au début, l'oiseau se tenait sur le comptoir, à côté de Roy, et sautillait autour de la caisse enregistreuse, mais à mesure que les semaines passaient il avait appris à voler sur de courtes distances, même s'il manquait souvent son but. Il devenait chaque jour de plus en plus fort et actif, à tel point que Roy posa un avertissement sur la porte, juste au cas où : NE LAISSEZ PAS SORTIR L'OISEAU !

Le soir, quand Roy rentrait chez lui, il laissait l'oiseau circuler dans le magasin, afin qu'il ait tout l'espace pour se déplacer à sa guise, et il se déplaçait vraiment. En arrivant un matin, Roy avait constaté qu'il avait picoré le dessus d'une boîte de Cracker Jack et qu'il sautillait partout avec un Cracker Jack au bec. Roy le lui avait enlevé en riant. Cet oiseau hurluberlu semblait aimer les Cracker Jack ! Dès lors, il avait appelé l'oiseau Jack. Mais, comme Roy s'en était rendu compte avec le temps, Jack aimait aussi les biscottes Ritz, les chips, le beurre d'arachide, les gaufrettes à la vanille et il adorait les Buddy Bars recouvertes de chocolat. L'appétit du petit oiseau pour les sucreries était insatiable, mais non exclusif. Il avait réussi un jour à s'introduire dans un sac de guimauves et, quand Roy l'avait trouvé le lendemain matin, il était complètement couvert de sucre en poudre. Finalement, tout le monde qui fréquentait le magasin avait pris l'habitude d'acheter des produits d'abord picorés par Jack.

Tous les clients du magasin adoraient Jack, sauf un. La sœur cadette de Frances, Mildred, ne cachait pas son déplaisir et se plaignait constamment à Frances.

— Je sais qu'il se promène partout. Il y a des petits trous de bec dans tout ce que j'achète. C'est une vraie peste. La dernière fois que j'y suis allée, il a atterri dans mes cheveux, il a bousillé toute ma mise en plis et j'ai dû retourner à la maison pour tout recommencer.

— Oh, Mildred, dit Frances qui aimait l'oiseau, il ne me fait jamais cela. Je pense qu'il le fait seulement pour t'agacer, parce qu'il sait que tu ne l'aimes pas.

— Eh bien, je me moque de ce que tu dis, je ne crois pas que ce soit hygiénique de garder un oiseau dans un endroit où on vend de la nourriture, et je l'ai dit à Roy; je lui ai dit: «Heureusement qu'il n'y a pas d'inspecteur sanitaire ici parce que cet oiseau serait hors la loi.»

— Pourquoi alors continuer à y aller si tu ne cesses de faire des histoires avec cet oiseau jour et nuit?

— Où veux-tu que j'aille faire mes courses? Ce n'est pas comme si nous avions le choix entre cinquante supermarchés. Je n'ai pas le choix; je suis coincée. Je te dis que cet oiseau est une nuisance. Tu ne peux pas aller là-bas sans qu'il saute sur toi. Il représente une menace pour la société, c'est tout, et je ne veux plus en parler.

— Moi non plus, dit Frances. Tu n'as qu'à faire la liste de ce que tu veux et j'irai à l'épicerie pour toi. Comme ça, je n'aurai plus à écouter tes lamentations.

Mildred la regarda, l'air furibond.

— Et comment suis-je censée savoir ce que je veux avant d'être dans le magasin? C'est pour ça qu'on appelle ça faire «ses» courses, Frances!

Sur ce, elle partit en claquant la porte.

Même si Jack donnait du fil à retordre et s'il pouvait certainement être une peste à l'occasion, de la petite bête laide et couverte de boue qu'il était au début il s'était transformé en un magnifique oiseau écarlate au masque noir. Avec son bec rouge et ses petits yeux brillants brun roux, il ressemblait parfaitement à ce qu'un cardinal doit être, mais sans qu'on sache pourquoi, quand Jack vous regardait bien en face, il semblait avoir un sourire un peu narquois. Roy en avait parlé un jour à Claude Underwood.

— Je te jure que cet oiseau hurluberlu a le sens de l'humour. Tous les matins, quand j'arrive, il a inventé un nouveau truc juste pour me faire rire. Quand je suis entré, hier, il se balançait la tête en bas dans un filet de pêche.

Avec le temps, Roy avait compris combien l'oiseau était intelligent et il avait commencé à lui enseigner des tours d'adresse. Bientôt, Jack se promenait partout avec lui, perché sur son doigt, et mangeait des graines de tournesol dans sa main. Son jeu préféré, c'était quand Roy cachait une graine de tournesol dans la poche de quelqu'un, que Jack allait la chercher dans la poche de la personne, toute surprise, et revenait la porter à Roy. Celui-ci lui en donnait alors une dizaine.

Il était évident que Jack appréciait toute l'attention dont il était l'objet. Quand il s'était vu pour la première fois dans un miroir, il avait arrondi le dos, agité la tête en direction de son reflet et essayé de l'attaquer. Roy avait donc dû se débarrasser de tous les miroirs. Jack lui avait fait comprendre qu'il considérait le magasin comme son territoire et qu'il ne voulait pas voir un autre oiseau dans les parages. Quand l'oiseau du miroir avait disparu aussi rapidement, Jack avait été convaincu que c'était lui, et lui seul, qui avait mis l'intrus en fuite, alors il avait gonflé ses plumes, s'était pavané et était devenu de plus en plus audacieux. La plupart du temps, il se tenait sur l'épaule de Roy ou sur son chapeau, mais il allait pratiquement partout où il voulait. Cela devait s'avérer bientôt dangereux.

Un jour, Henry, le gros chat orange de la postière, Dottie Nivens, avait passé la journée assis devant le magasin, à observer par la vitrine Jack qui voletait autour de la caisse enregistreuse. Sans bouger, Henry avait attendu, la queue battante, et il n'avait pas quitté l'oiseau des yeux. Il était bien décidé à l'attraper, d'une façon ou d'une autre. Vers quinze heures trente, quand les enfants de Lost River étaient descendus du bus scolaire qui les ramenait de Lillian et étaient entrés à tour de rôle dans le magasin pour acheter des bonbons et des sodas, le chat avait saisi l'occasion. Il s'était précipité dans l'ouverture de la porte-moustiquaire et, sans que personne le voie, il avait bondi sur le comptoir et essayé de saisir Jack. Celui-ci s'était élevé dans les airs, juste assez pour échapper aux griffes de Henry, et avait atterri d'abord sur le dessus d'une étagère. Sans se laisser décourager, Henry l'avait poursuivi dans tout le magasin, renversant des sacs de chips, des cartouches de cigarettes, des boîtes de conserve et des bouteilles. Puis tout le monde s'était mis à courir en criant dans le magasin, à la poursuite du chat. Quel tintamarre ! On aurait dit un tremblement de terre. Le pauvre Jack, les plumes hérissées et la crête dressée sur la tête, sautillait et voletait aussi vite et aussi haut qu'il pouvait, suivi du chat qui le ratait toujours de quelques centimètres. D'une façon ou d'une autre, Jack avait réussi à atteindre l'arrière du magasin, en sautillant et en voletant, et avait atterri sur le comptoir à viande. Le chat avait aussitôt bondi pour l'attraper et avait glissé sur ses quatre pattes jusqu'à l'autre bout du comptoir, faisant tomber dans son sillage des bouteilles de ketchup, de sauce barbecue et de raifort. Entre-temps, Jack, dans un effort titanesque, avait sauté du comptoir et battu des ailes assez longtemps pour atterrir sur la tête de cerf, hors de portée du chat. Roy avait enfin pu chasser Henry, en proie à une grande frustration, avec un balai par la porte arrière, pendant que Jack, les plumes encore ébouriffées, restait assis en sécurité sur son perchoir et jetait un regard mauvais sur le chat en train de se faire flanquer dehors.

Jack n'était pas redescendu de la journée et avait continué à manifester son mécontentement envers Roy pour avoir laissé entrer le chat. Le lendemain, la porte s'orna d'un autre avertissement :

NE LAISSEZ PAS SORTIR L'OISEAU ! NE LAISSEZ PAS ENTRER LE CHAT !

Route postale de la Rivière

Entre-temps, à Chicago, Oswald Campbell indiqua à son agent d'assurances de léguer à Helen toutes les sommes dues à sa mort, en précisant qu'elle devait dépenser cet argent pour elle et non pour satisfaire les caprices de ses enfants. Il se doutait bien que c'était ce qui arriverait de toute façon, mais il n'y pouvait rien... Bien qu'il ait vidé son compte en banque, son portefeuille n'était pas très gonflé. Le train étant le moyen le plus économique pour se rendre là-bas, il fit ses réservations. Le lendemain matin, il téléphona à madame Cleverdon pour l'informer de l'heure de son arrivée et lui demander sa nouvelle adresse pour y faire suivre son courrier.

— Faites-le envoyer aux soins de mademoiselle Betty Kitchen, 48, route postale de la Rivière.

— Route de la Rivière? C'est le nom de la rue?

— Non, c'est la rivière, dit-elle.

— Oh! Mais je dois avoir une adresse dans une rue.

— C'est l'adresse, monsieur Campbell. Nous recevons notre courrier par bateau.

Oswald était déconcerté.

— Par bateau? Je n'ai pas de bateau.

— Vous n'avez pas besoin de bateau, répondit-elle en riant, le facteur l'apporte en bateau.

— Où l'apporte-t-il?

— Juste sur votre quai.

Il restait déconcerté.

— Ai-je besoin d'un code postal ou d'autre chose?

— Non, inutile de vous inquiéter, monsieur Campbell. Notre facteur connaît tous ceux qui habitent ici.

— Je vois… alors, c'est seulement 48, route postale de la Rivière?

— C'est ça, je suis au 46, route postale de la Rivière. Ma sœur Mildred est au 44.

Elle s'appliquait à lui mentionner le nom de Mildred le plus souvent possible.

Oswald raccrocha en se demandant dans quel endroit de fous il s'en allait. Pour l'amour de Dieu, elle ne lui avait pas dit que le courrier arrivait par bateau! Il commençait à remettre sa décision en cause, mais il avait déjà laissé sa chambre et fait ses adieux à Helen au téléphone. Il ferait mieux de partir comme il l'avait planifié. De son côté, il n'avait pas révélé à madame Cleverdon qu'il était une bombe à retardement ambulante et qu'il mourrait probablement chez eux. De toute façon, il était trop tard à présent. Ses finances ne lui permettaient d'aller nulle part ailleurs. Il espérait seulement que l'épicerie de Lost River vende de la bière. Aucune raison de demeurer sobre plus longtemps. Pas quand il n'y a plus d'espoir.

Dès que Frances eut raccroché, elle s'aperçut qu'elle avait oublié tout au moins de prévenir Oswald au sujet de la mère de Betty Kitchen, mademoiselle Alma. Elle songea à le rappeler, mais elle se ravisa. C'était peut-être mieux ainsi; après tout, il ne s'agissait pas de l'effaroucher avant même son arrivée. Par ailleurs, elle devait s'empresser d'aller chez Mildred pour l'aider à préparer la réunion de la Société secrète de l'Ordre mystique des Polka dots. À l'approche de Noël, il fallait s'occuper des préparatifs pour l'Arbre mystère. Chaque année, au milieu de la nuit, tous les membres du club décoraient ensemble le grand cèdre qui s'élevait devant le centre communautaire. Les Polka dots faisaient beaucoup de bonnes œuvres, toujours en secret. La devise du club était : « Il est de mauvais goût de se glorifier de ses actions. » Butch Mannich, que tout le monde surnommait Stick parce qu'il mesurait un mètre quatre-vingt-treize et ne pesait que cinquante-neuf kilos, était le seul membre mâle honoraire des Polka dots. Neveu de Sybil Underwood, il avait vingt-six ans. C'était un bon samaritain, toujours prêt à aider ces dames. Il fournissait l'échelle et il était le seul à être assez grand pour installer, tous les ans, les lumières au sommet de l'arbre.

Quand Frances entra chez sa sœur pour la réunion, Mildred, étendue sur le canapé du salon et vêtue d'une ample robe hawaïenne au motif floral très coloré, lisait son dernier livre emprunté au bibliobus, intitulé *Romance dans le bayou : une histoire torride d'amour interdit au cœur des bayous de la Louisiane.*

— Pour l'amour du ciel, Mildred ! s'exclama Frances en voyant le livre de sa sœur. Quand vas-tu cesser de te repaître de toutes ces ordures ?

— Quand vas-tu arrêter de grignoter des bonbons à longueur de journée ? demanda Mildred après avoir fermé son livre et l'avoir posé sur la table basse.

Frances n'avait jamais le dernier mot avec Mildred. Dans leur jeunesse, elles avaient toutes les deux fréquenté l'une des meilleures écoles d'arts d'agrément, à Chattanooga. À cette époque, Mildred était déjà tout à fait anticonformiste. Elle avait été la première fille en ville à porter un tailleur-pantalon au club sportif de Chattanooga. Elle était trop émancipée, longtemps avant que ce soit la mode. Frances pensait que c'était sans doute la raison pour laquelle le fiancé de Mildred s'était enfui et avait épousé quelqu'un d'autre. C'était probablement ce qui expliquait aussi qu'on ne savait jamais de quelle couleur seraient ses cheveux la prochaine fois qu'on la verrait. Elle se les teignait sur un coup de tête et en fonction de son humeur du jour. Aujourd'hui, c'était une sorte de tartan. Frances espérait qu'elle porterait une couleur se rapprochant d'une teinte naturelle à l'arrivée de monsieur Campbell. Mais elle se tut. Si jamais Mildred se doutait que sa sœur voulait lui trouver un homme, elle ferait certainement une folie. Frances s'inquiétait pour elle. Mildred avait pris sa retraite après vingt-cinq années de travail, elle avait de bonnes assurances et elle était propriétaire de sa maison. Elle avait beaucoup d'amis, mais elle ne semblait pas heureuse. Frances craignait que Mildred devienne amère en vieillissant et qu'elle se transforme, sous ses yeux, en vieille chipie. C'était une des nombreuses raisons pour lesquelles Frances mettait tant d'espoir dans la venue de monsieur Campbell. Mildred avait besoin d'oublier le garçon qui l'avait quittée et de vivre sa vie avant qu'il soit trop tard.

Alabama de rêve

Oswald régla les derniers détails et, comme le médecin le lui avait suggéré, il mit ses affaires en ordre, ce qui fut fait en moins de cinq minutes. Il se contenta de jeter trois paires de vieilles chaussures et de donner un de ses deux pardessus. Il mit tous ses biens dans une seule valise, avec la seule balle de base-ball qu'il ait jamais attrapée pendant une partie. Ce soir-là, quelques-uns de ses amis des AA l'amenèrent boire une tasse de café. Il leur dit qu'il serait probablement de retour au printemps. Inutile d'inquiéter qui que ce soit.

Le lendemain matin, il prit un taxi jusqu'à la gare L&N, LaSalle Street. Il trouva son siège, et le train quitta la gare à midi quarante-cinq. En voyant défiler les immeubles familiers, il sut qu'il voyait Chicago pour la dernière fois et il songea à se rendre aussitôt au wagon-bar pour boire un verre, mais le jeton sur lequel était inscrit «Un jour à la fois» que ses amis lui avaient donné la veille était encore dans sa poche. Il devrait peut-être attendre de s'éloigner davantage de Chicago et de son groupe des AA. Alors, il s'assit, regarda par la glace et se concentra bientôt sur les images qui se succédaient devant ses yeux. À mesure que le train descendait vers le sud, en passant par Cincinnati et Louisville jusqu'à Nashville, le paysage se modifiait lentement. La terre brunâtre changeait de couleur et, quand il s'éveilla le lendemain matin, aux arbres noirs et dépouillés qui, la veille, bordaient les rails avaient succédé des arbres feuillus, bien fournis, et de grands pins. Il s'était endormi dans un univers et il s'éveillait dans un autre. Pendant la nuit, le ciel d'hiver gris et sombre était passé au bleu vif, avec d'énormes cumulus blancs, si gros qu'Oswald songea tout d'abord qu'il rêvait.

À son arrivée à Mobile, plus tard l'après-midi, un grand homme maigre avec une petite tête, qu'Oswald compara aussitôt à une mante religieuse portant une casquette de base-ball, s'approcha de lui dès qu'il descendit du train.

— Êtes-vous monsieur Campbell?

Devant sa réponse affirmative, l'homme s'empara de sa valise.

— Soyez le bienvenu en Alabama! Je suis Butch Mannich, mais vous pouvez m'appeler Stick, comme tout le monde. Ouais, ajouta-t-il pendant qu'ils marchaient côte à côte, je suis si maigre que, quand j'étais petit, mes parents n'ont jamais voulu que j'aie un chien parce qu'il aurait passé son temps à m'enterrer dans le jardin.

Il se mit à rire de sa propre blague à gorge déployée.

Quand ils sortirent de la gare, l'air humide et parfumé de Mobile surprit Oswald. Le voir du train, c'était une chose, mais le sentir en était une autre. Leur moyen de transport était un camion, et Butch s'en excusa.

— Il n'est pas très beau, mais il va nous mener à destination.

Butch était un homme exubérant et il parla sans arrêt durant l'heure et quart que dura le trajet jusqu'à Lost

River. Il tendit à monsieur Campbell sa carte au centre de laquelle se trouvait le dessin d'un grand œil. Dessous, il était écrit :

BUTCH (STICK) MANNICH
DÉTECTIVE PRIVÉ
ET HUISSIER

Oswald fut surpris.

— Y a-t-il une grosse demande pour un détective privé par ici ?

— Non, pas encore, dit Butch d'un ton légèrement dépité. Mais je suis disponible, prêt, disposé et compétent, juste au cas.

Au soir tombant, en roulant sur la longue jetée qui traverse la baie de Mobile, ils virent la fin du coucher de soleil. Il n'y avait que des kilomètres d'eau des deux côtés, et le soleil qui s'enfonçait dans la baie était si gros et si orange qu'Oswald en fut presque effrayé.

— Est-ce normal ? demanda-t-il à Butch.

Butch jeta un coup d'œil par la fenêtre.

— Ouais, on a un beau coucher de soleil presque tout le temps.

Quand ils quittèrent l'autoroute pour se rendre à Lost River, il faisait nuit noire.

— Voici le magasin, dit Butch en passant à toute vitesse devant.

Oswald regarda dehors, mais ne vit rien. Ils continuèrent encore un peu et s'arrêtèrent devant une grande maison.

— Nous y voilà, sains et saufs.

Oswald sortit son portefeuille.

— Combien vous dois-je?

Butch parut réellement surpris.

— Voyons, vous ne me devez pas un sou, monsieur Campbell.

Au moment où Oswald allait frapper à la porte, elle fut ouverte à la volée par une femme immense, qui mesurait au moins un mètre quatre-vingt-trois.

— Entrez! dit-elle d'une voix tonitruante en lui arrachant sa valise avant qu'il ait pu l'en empêcher. Je suis Betty Kitchen et je suis heureuse que vous soyez ici, poursuivit-elle en lui prenant la main et en la serrant si fort qu'elle faillit la briser. Le petit-déjeuner est à sept heures, le déjeuner à midi et le dîner à dix-huit heures. Et si vous voyez une petite femme étrange qui se promène, ne vous inquiétez pas: c'est seulement ma mère. La moitié du temps, elle ne sait pas où elle est, alors si elle s'aventure dans votre chambre, vous n'avez qu'à la chasser. Laissez-moi vous faire visiter la maison.

Il la suivit dans le long couloir qui coupait la maison en deux. Elle marcha jusqu'à l'arrière de la maison en lui indiquant les pièces au fur et à mesure.

— La salle de séjour, la salle à manger et voici la cuisine.

Elle ouvrait et fermait l'éclairage en passant. Elle se retourna pour se diriger de nouveau vers l'avant et lui indiqua une petite porte sous l'escalier.

— Et voilà où je dors, dit-elle.

Elle ouvrit la porte qui donnait sur un placard juste assez grand pour un lit à une place.

— J'aime être proche de la cuisine, où je peux garder un œil sur maman. C'est petit, mais ça me plaît. C'est comme dormir dans un train. J'ai toujours bien dormi en train et il fut un temps où j'en prenais beaucoup. Venez là-haut. Je vais vous montrer votre chambre.

En la suivant dans l'escalier, Oswald eut l'impression de reconnaître quelque chose de familier dans ses manières et dans sa façon de parler. Presque comme s'il l'avait déjà rencontrée, mais il était sûr que non; c'était une personne qu'on n'oubliait certainement pas.

— Maman était boulangère à Milwaukee, spécialisée dans les petits fours et les gâteaux de fantaisie, mais c'était avant qu'elle glisse sur une enveloppe de cigare. Vous ne fumez pas le cigare, n'est-ce pas? lui demanda-t-elle en se retournant vers lui et en le regardant.

Oswald s'empressa de dire que non. Mais si ç'avait été le cas, juste au ton de sa voix, il serait parti aussitôt.

— Non, je fais de l'emphysème; c'est pour ça que je suis ici. Pour ma santé.

Elle soupira.

— Oui, il nous vient beaucoup de gens comme ça. La plupart des personnes qui viennent ici ont quelque chose qui cloche… mais pas moi. J'ai une santé de fer.

Ce qui parut évident quand ils entrèrent dans sa chambre et qu'elle posa sa valise sur le lit d'une seule main.

— Eh bien, voilà! La pièce la plus ensoleillée de toute la maison. C'était ma chambre avant que je m'installe en bas. J'espère qu'elle vous plaît.

Oswald regarda autour de lui. C'était une pièce spacieuse habillée d'une tapisserie à fleurs jaunes, avec un petit canapé jaune dans un coin. Un couvre-lit en chenille blanche impeccable recouvrait un lit brun à colonnes, au-dessus duquel était accroché un tissu brodé et encadré où on pouvait lire : HOME SWEET HOME*.

Elle lui indiqua deux portes.

— Placard à gauche, salle de bain à droite, et si vous avez besoin de quelque chose, criez ! Sinon, je vous revois à sept heures.

Il se rendit dans la salle de bain et fut étonné de constater qu'elle était presque aussi grande que la chambre, avec une baignoire et un lavabo verts. Autre surprise : il y avait une fenêtre. Il n'avait jamais vu une salle de bain avec une fenêtre. Il était si fatigué qu'il ne rêvait que de se coucher, mais il se sentait si crasseux après son voyage en train qu'il prit un bain, enfila son pyjama et entra dans le lit moelleux dont les draps sentaient bon le propre. Une fois étendu, il regarda sa nouvelle chambre encore une fois avant d'éteindre sa lampe et de tomber dans un sommeil profond et paisible.

Quand Oswald fut monté se coucher, le téléphone sonna. C'était Frances qui appelait Betty pour savoir si monsieur Campbell était arrivé sain et sauf. Quand elle sut que oui, sa question suivante fut :

— Et alors ?

Betty éclata de rire.

— Eh bien... c'est un charmant petit homme ridé aux yeux bleus et aux cheveux roux. Il ressemble un peu à un elfe.

— Un elfe ? répéta Frances.

_____
* Ce qu'on est bien chez soi. (NDT)

— Oui, mais un elfe gentil.

Un peu déçue que monsieur Campbell ne soit pas aussi beau qu'elle l'avait espéré – Mildred était si difficile quand il s'agissait des hommes –, Frances essaya quand même de voir le bon côté des choses. Un elfe, songea-t-elle. Eh bien, Noël approchait. C'était peut-être une sorte de signe. Après tout, il ne faut jamais désespérer.

Oswald ouvrit l'œil à six heures trente le lendemain matin, dans une chambre remplie de soleil et du chant des mêmes oiseaux qu'il avait entendus gazouiller au téléphone, mais en beaucoup plus fort. En homme habitué depuis huit ans à se réveiller dans la chambre sombre d'un hôtel, entre neuf heures trente et dix heures, au bruit de la circulation, il se sentit troublé. Il essaya de se rendormir, mais les oiseaux étaient toujours aussi bruyants. Comme il se mettait à tousser, il se leva. Pendant qu'il s'habillait, il remarqua une publicité sur le mur, que Betty Kitchen avait manifestement découpée dans un magazine. C'était la photo de la coiffeuse d'une dame et, à côté d'un poudrier, d'un rouge à lèvres, d'un peigne et d'un paquet de cigarettes Lucky Strike Green, se trouvait un chapeau d'uniforme des WAC. Dessous, on pouvait lire : C'EST PEUT-ÊTRE UNE WAC – MAIS C'EST AUSSI UNE FEMME.

Il comprit alors. Voilà ce qui lui avait paru si familier. La vieille fille devait avoir fait du service, comme infirmière dans l'armée probablement. Dieu sait qu'il en avait connu des infirmières militaires à force de fréquenter des hôpitaux de vétérans. Il en avait même épousé une, nom de Dieu. Plus tard dans la cuisine, pendant qu'il mangeait un petit-déjeuner composé d'œufs, de petits pains, de gruau et de jambon, il put constater qu'il avait vu juste. Non seulement elle avait été infirmière dans l'armée, mais elle était lieutenant-colonel à la retraite et avait dirigé plusieurs gros hôpitaux aux Philippines.

Il l'informa qu'il avait été dans l'armée lui-même.

Elle leva les yeux.

— Je ne sais pourquoi, monsieur Campbell, mais je ne vous aurais jamais pris pour un militaire.

— Vous n'êtes pas la seule, dit-il en riant. Je n'ai jamais quitté l'Illinois.

— Ah! C'est dommage.

— Ouais, peut-être, mais je ne me plains pas. J'ai été renvoyé pour cause de santé avec une petite pension et je suis allé étudier, grâce à la bonne vieille armée des U.S.A.

À ce moment, la mère, qui avait la moitié de la taille de sa fille et qui ressemblait à une petite poupée dont la tête aurait été confectionnée avec une pomme toute ratatinée, apparut dans le couloir. Elle ignora Oswald. Elle semblait extrêmement agitée.

— Betty, les éléphants sont encore dans le jardin. Va voir ce qu'ils veulent.

— Oui, maman, dit Betty. Je vais aller voir dans un instant. Remonte dans ta chambre maintenant.

— Tu devrais te dépêcher. Ils piétinent tous mes bosquets de camélias.

Après son départ, Betty se tourna vers lui.

— Vous voyez ce que je veux dire? Elle croit voir toutes sortes de choses dans le jardin. La semaine dernière, c'étaient des tortues volantes. Je ne sais pas si c'est la chute qu'elle a faite il y a quelque temps ou si c'est seulement son âge ; elle est vieille comme Mathusalem, poursuivit-elle en débarrassant la table. Mais c'est la malédiction des Kitchen, soupira-t-elle, la longévité – des deux côtés. Et vous, monsieur Campbell ? Avez-vous de la longévité dans votre famille ?

— Honnêtement, j'en doute, dit-il, considérant le fait qu'il ne connaissait pas sa vraie famille et sa propre condition actuelle.

Après le petit-déjeuner, Oswald retourna dans sa chambre pour finir de vider ses valises et, quelques minutes plus tard, il entendit Betty l'appeler du pied de l'escalier.

— Ohé ! Monsieur Campbell ! Vous avez une visite !

Quand il sortit sur le palier, une jolie femme vêtue d'un chemisier blanc et d'une jupe bleue leva les yeux vers lui.

— Bonjour ! dit-elle.

Il reconnut aussitôt sa voix et descendit faire la connaissance de Frances Cleverdon.

Même si elle avait les cheveux blancs, il fut surpris, en la voyant de près, de constater que son visage avait un air jeune. Elle avait les yeux bleus et un charmant sourire. Elle lui tendit un panier de bienvenue, rempli de pacanes, de gâteaux au fromage à la crème, d'oranges satsuma et de plusieurs petits pots.

— J'espère que vous aimez la gelée, dit-elle. Je vous en ai préparé au poivron vert et au gros manseng.

— J'adore ça, dit-il en se demandant ce que pouvait bien être le gros manseng.

— Je ne m'attarderai pas, je sais que vous devez être occupé. Je voulais juste passer vous saluer, mais dès que vous serez installé et que vous en aurez envie, je veux que vous veniez dîner chez moi.

— Merci, madame Cleverdon, je n'y manquerai pas.

Devant la porte, elle se retourna et lui demanda s'il était déjà allé au magasin pour faire la connaissance de Roy.

— Pas encore, dit-il.

— Non ? Allez-y voir, dit-elle avec le sourire de quelqu'un qui a un secret. Je crois que vous allez avoir une surprise.

Après son départ, Oswald songea qu'il devrait aller se promener et voir un peu les environs. Il demanda à Betty comment trouver le magasin. Elle lui expliqua de sortir par la porte avant et de tourner à gauche. C'était quatre maisons après le bureau de poste, au bout de la rue.

Quand il sortit sur le perron, la température était la même à l'extérieur qu'à l'intérieur. Il n'arrivait toujours pas à croire combien il faisait doux. À peine deux jours plus tôt, il portait un pardessus sous la pluie verglaçante et aujourd'hui le soleil brillait et il portait une chemise à manches courtes. Il sortit, tourna à gauche et aperçut ce qu'il n'avait pu voir la veille au soir.

La rue était bordée des deux côtés par de gros chênes touffus des branches desquels pendaient de longues guirlandes de mousse espagnole. Les ramures des chênes étaient si imposantes qu'elles se rejoignaient et formaient une voûte ombragée dans chaque direction, aussi loin que le regard portait. Il passa devant de jolis petits bungalows propres et bien entretenus. Dans tous les jardins, les bosquets débordaient de grandes fleurs rouges qui ressemblaient à des roses. En route vers le magasin, il observa les écureuils les plus gras qu'il ait jamais vus courir de haut en bas des arbres. Même s'il entendait les gazouillements et les pépiements des oiseaux dans les buissons, le sous-bois d'arbustes et de palmiers nains était si dense qu'il ne pouvait les voir. Il arriva bientôt devant une maison blanche avec deux portes et un chat orange assis dans l'escalier. Au-dessus d'une des portes, il y avait une inscription : BUREAU DE POSTE.

Comme il passait devant, cette porte s'ouvrit et une femme élancée, avec une frange raide comme du crin, sortit et le salua de la main.

— Bonjour, monsieur Campbell. Heureuse de vous voir !

Il lui rendit son salut, même s'il ne savait absolument pas qui elle était ni comment elle savait son nom. Au bout de la rue, il aperçut une épicerie en brique rouge avec deux pompes à essence devant et il entra. Un homme à l'apparence soignée et aux cheveux bruns, vêtu d'un pantalon kaki et d'une chemise à carreaux, se tenait près de la caisse enregistreuse.

— Êtes-vous Roy ? demanda Oswald.

— Oui, monsieur, répondit l'homme. Et vous devez être monsieur Campbell. Comment allez-vous ?

Il lui tendit la main au-dessus du comptoir.

— Comment avez-vous su qui j'étais ?

Roy eut un petit rire étouffé.

— Grâce aux dames, monsieur Campbell. Elles n'arrêtent pas de parler de vous. Vous ne pouvez pas savoir à quel point je suis heureux de vous voir ici.

— Vraiment ?

— Oh! oui. Elles ont maintenant un autre homme célibataire que moi à harceler pour qu'il se marie.

Oswald leva les bras.

— Oh! mon Dieu! elles ne veulent sûrement pas de moi.

— Ne vous faites pas d'illusions, monsieur Campbell. Tant que vous êtes en vie, elles vous veulent.

— Eh bien, dit Oswald en riant, je suis encore en vie, pour le moment.

— Maintenant que vous êtes ici, nous devrons être solidaires et empêcher ces bonnes dames de nous prendre au dépourvu. À moins, bien sûr, que vous soyez à la recherche d'une épouse.

— Noooooon, pas moi, dit Oswald. J'ai déjà rendu une pauvre femme malheureuse. C'est assez.

Le petit homme plut aussitôt à Roy.

— Venez dans mon bureau et laissez-moi vous offrir une tasse de café. Et je vais vous présenter mon associé.

Pendant qu'ils se dirigeaient vers l'arrière, Roy siffla.

— Hé! Jack! lança-t-il.

Jack, qui avait couru toute la matinée dans le tambour en plastique avec des clochettes, que Roy avait commandé pour lui par la poste, entendit le sifflement, sortit du bureau en volant et atterrit sur le doigt de Roy.

Oswald s'arrêta net.

— Incroyable! Qu'est-ce que c'est?

— C'est Jack, mon associé, dit Roy en regardant l'oiseau. C'est lui le vrai propriétaire de l'endroit; je ne fais que le gérer pour lui.

— Mon Dieu! s'exclama Oswald, encore étonné de ce qu'il venait de voir. C'est un cardinal, n'est-ce pas?

Roy éloigna Jack de lui pour qu'il ne puisse pas l'entendre.

— Oui, officiellement c'est un cardinal, mais nous ne le lui disons pas; nous lui disons qu'il est simplement un vieil oiseau rouge bien ordinaire. Il a déjà la tête bien assez enflée. Hé! Jack, dis à ce monsieur où tu habites, demanda-t-il en s'adressant à l'oiseau.

L'oiseau pencha la tête et gazouilla avec, Oswald l'aurait juré, le même accent du sud que Roy. Il semblait dire:

— Juss ici!... Juss ici!... Juss ici!

Quand Roy fut occupé avec des clients, Oswald se promena dans le magasin, à examiner les poissons et les animaux empaillés qui décoraient les murs. Ils semblaient presque vivants. Le renard roux paraissait tellement vrai qu'Oswald sursauta quand il le vit la première fois sur le comptoir.

— Ce sont vraiment de belles pièces que vous avez là, dit-il plus tard à Roy. Un instant, j'ai cru que ce maudit renard était vivant. Et ces poissons, là-haut, ils sont vraiment extraordinaires.

Roy leur jeta un coup d'œil.

— Ouais, je suppose. C'est mon oncle qui les a accrochés là. Il les a gagnés pour la plupart en jouant au poker.

— Qui les a faits, quelqu'un d'ici?

— Ouais, Julian LaPonde, un vieux Créole qui habite de l'autre côté de la rivière.

— Un Créole? Qui sont-ils? Des Amérindiens?

Roy hocha la tête.

— Qui peut dire ce qu'ils sont – ils prétendent être français, espagnols, amérindiens, tout ce que vous voulez. Dans le cas du type qui a fait ça, dit-il en indiquant les animaux empaillés, je suis certain qu'il y a aussi un peu de mesquinerie mêlée à tout cela. Tous les poissons que vous voyez là-haut, poursuivit-il en changeant de sujet, ont été pris par notre facteur, Claude Underwood. Cette truite mouchetée représente une prise record. Êtes-vous pêcheur? Si c'est le cas, c'est l'homme qu'il vous faut.

— Non, reconnut Oswald. Je ne suis pas vraiment pêcheur, ni chasseur, j'en ai bien peur.

Il aurait été incapable de faire la différence entre une truite mouchetée et un rouget.

Oswald avait passé près d'une heure à traîner dans le magasin et à observer le cardinal fou de Roy tourner dans sa roue quand le téléphone sonna. Roy raccrocha le récepteur et l'appela.

— Hé! monsieur Campbell, c'était Betty. Elle dit que votre déjeuner est prêt.

Oswald regarda sa montre. Il était midi pile.

— J'imagine que je suis mieux d'y aller.

— Ouais, vous n'avez certainement pas avantage à la faire enrager. Hé! à propos, avez-vous fait la connaissance de la mère?

— Oh! oui, dit Oswald en roulant les yeux.

— On dit qu'elle est inoffensive, mais je fermerais ma porte à clé le soir si j'étais vous.

— Vraiment? Vous pensez qu'elle est dangereuse?

— Je ne voudrais surtout pas répandre de rumeurs, mais nous ne savons pas ce qui est arrivé au papa, n'est-ce pas?

En voyant l'expression d'Oswald, Roy savait déjà qu'il aurait beaucoup de plaisir à le faire marcher. Il croirait n'importe quoi.

Après avoir quitté le magasin pour rentrer, Oswald s'aperçut qu'il avait été tellement occupé à observer Jack et à parler qu'il avait oublié de vérifier s'il y avait de la bière dans l'épicerie.

Oh! il verrait ça demain.

De retour à la maison, il demanda à Betty qui était la dame avec une frange qui l'avait salué quand il était passé devant le bureau de poste, à deux reprises.

— Oh! c'est Dottie Nivens, notre maîtresse de poste. Nous l'avons engagée à la suite d'une annonce que nous avons fait paraître dans *The New York Times*. Nous avions peur qu'elle reparte dès son arrivée, en s'apercevant combien la communauté est petite, mais elle est restée et nous en sommes très heureux. Elle prépare des surprises pour toutes les fêtes et elle fait un whisky-soda terrible; de plus, elle danse le jitterbug mieux que personne.

Oswald se demanda si elle n'était pas aussi un peu timbrée, pour avoir quitté New York afin de venir vivre ici.

Vers midi trente, pendant qu'Oswald mangeait son déjeuner, Mildred, qui avait passé la matinée à Mobile à acheter des décorations de Noël pour l'Arbre mystère avec l'argent de la caisse des Polka dots, appela Frances en mettant le pied chez elle.

— Alors? demanda-t-elle.

— Eh bien… commença Frances en essayant de faire preuve de tact, c'est un charmant petit homme, avec de belles petites dents et, bien sûr, il a un drôle d'accent et…

— Et quoi ?

Malgré elle, Frances éclata de rire.

— Il ressemble à un elfe.

— Doux Jésus.

— Mais un elfe gentil, s'empressa-t-elle d'ajouter.

Mildred était du genre à porter des jugements rapides, et Frances ne voulait pas qu'elle se fasse une idée d'Oswald avant même de le rencontrer. Elle pouvait être tellement acrimonieuse.

En règle générale, Oswald mangeait rarement trois repas par jour, mais lors de sa première journée à Lost River, après un énorme petit-déjeuner, il s'attabla devant un déjeuner copieux : du poulet rôti, un bol de grosses fèves de Lima, de la purée de pommes de terre, trois tranches de pain au maïs avec du miel et du vrai beurre (pas la margarine fouettée qu'il avait l'habitude d'acheter) et deux morceaux de gâteau au chocolat maison. Il n'avait pas mangé de vrais plats maison depuis l'époque où il était marié à Helen et, depuis le divorce, il mangeait à l'extérieur dans des bouis-bouis ou il ingurgitait des repas prêts à manger dans sa chambre. Le soir, au dîner, il vida encore son assiette, plus deux portions de pouding aux bananes, ce qui fit infiniment plaisir à Betty. Elle aimait les hommes qui avaient beaucoup d'appétit.

Il se sentait encore un peu fatigué et faible du voyage et il monta à sa chambre tout de suite après le dîner.

Quand il arriva sur le palier du premier, la mère, qui n'avait pas de dents, sortit la tête de sa chambre en criant.

— Les troupes ont-elles été nourries?

— Je crois que oui, dit-il ne sachant quoi dire d'autre.

— Bien, dit-elle.

Puis elle fit claquer sa porte.

Oh là là! songea Oswald. Et même s'il soupçonnait Roy de s'être moqué de lui plus tôt, il ferma sa porte à clé ce soir-là, juste au cas où.

Le lendemain matin, les oiseaux le réveillèrent encore, mais il se sentait reposé et de nouveau affamé. Tout en mangeant un autre copieux petit-déjeuner, il demanda à Betty ce qui les avait amenées, sa mère et elle, à quitter Milwaukee pour Lost River, en Alabama.

Betty ajouta quatre tranches de bacon dans la poêle.

— Eh bien, mon amie Elizabeth Shivers, qui travaillait pour la Croix-Rouge à l'époque, avait été envoyée ici pour donner un coup de main après le gros ouragan. À son arrivée, elle est tout simplement tombée amoureuse de la région et elle s'y est installée. Quand je suis venue lui rendre visite, j'ai tellement aimé l'endroit que j'ai déménagé ici moi aussi.

Elle retourna les tranches de bacon.

— Vous savez, c'est curieux, monsieur Campbell, poursuivit-elle l'air songeur, quand les gens découvrent cet endroit, ils ne semblent plus vouloir le quitter.

— Vraiment? Depuis combien de temps habitez-vous ici?

— Il y a près de quatorze ans à présent. Nous avons déménagé tout de suite après la mort de papa.

À la mention du père, Oswald essaya de prendre son ton le plus dégagé.

— Ah!... Je vois. Et de quoi votre père est-il mort, si je peux me permettre de vous poser la question?

— Mangeriez-vous d'autres œufs si je vous en préparais? demanda-t-elle.

— Bien sûr, dit-il.

Elle alla chercher deux autres œufs dans le réfrigérateur, les cassa et les fit glisser dans la poêle à frire.

— Pour répondre à votre question, dit-elle enfin, nous ne savons pas exactement de quoi est mort papa. Il avait vingt-deux ans de plus que maman, ce qui lui donnait cent trois ans à l'époque. Je suppose que c'était peut-être le grand âge, mais avec les Kitchen, on ne sait jamais. Tout ce que je sais, c'est que ç'a été un choc pour nous tous quand c'est arrivé.

Oswald se sentit mieux. Il était évident que le vieil homme n'était pas disparu de mort violente, comme Roy l'avait laissé entendre. Mais, à cent trois ans, comment pouvait-on parler de choc?

Le lendemain matin, quand il descendit, Betty Kitchen le regarda et lui dit:

— C'est vraiment une mauvaise toux que vous avez là, monsieur Campbell. Êtes-vous certain que ça va?

Oswald voulut tout de suite la rassurer.

— Oh! ouais… je crois que j'ai dû attraper un petit rhume pendant le voyage, mais je me sens bien.

Il comprit qu'il devrait maintenant tousser moins fort et essayer de faire en sorte qu'elle ne l'entende pas.

Après le petit-déjeuner, il eut envie de faire une autre promenade et il demanda à Betty où se trouvait la rivière.

— Sortez par la porte de la cuisine, dit-elle.

Oswald sortit par la porte arrière de la maison dans un grand jardin rempli des plus grands pins et cèdres qu'il ait jamais vus. Il calcula que certains d'entre eux devaient être au moins aussi hauts qu'un édifice de six ou huit étages. Il se dirigea vers la rivière, et l'air frais du petit matin lui rappela l'odeur des endroits autour de Chicago où l'on vendait des arbres de Noël tous les ans.

Il suivit un sentier taillé dans le sous-bois dense, plein d'aiguilles et de pommes de pin de la grosseur d'un ananas, jusqu'à un quai en bois sur la rivière. Il fut émerveillé de ce qu'il vit. Le fond de la rivière était sablonneux et l'eau aussi claire que du gin – et il était bien placé pour le savoir. Il marcha sur le quai, se pencha et aperçut de petits poissons argentés et d'autres plus gros qui nageaient dans la rivière. Contrairement aux eaux du lac Michigan, celles-ci étaient calmes comme un miroir.

Pendant qu'il regardait autour de lui, d'immenses pélicans en vol passèrent à moins de cinq centimètres au-dessus de la rivière à environ un mètre de lui. Quel spectacle ! Il en avait vu des photos dans des magazines et il croyait qu'ils étaient tous gris. Il fut surpris de voir qu'ils étaient en réalité de plusieurs couleurs, rose, bleu et orange avec des yeux jaunes et des plumes blanches et duveteuses sur la tête. Quelques minutes plus tard, ils s'envolèrent, puis ils revinrent, s'écrasèrent avec un gros floc et se laissèrent flotter, avec leurs grands becs dans l'eau. Il ne put s'empêcher de rire. Si les pélicans avaient porté des lunettes, ils auraient ressemblé à de vraies personnes. Les seuls autres oiseaux qu'il ait jamais vus d'aussi près étaient les quelques pigeons qui atterrissaient parfois sur le rebord de sa fenêtre à l'hôtel.

La rivière n'étant pas très large, il pouvait voir les quais en bois des maisons de l'autre côté. Sur chacun se trouvait une boîte à lettres, y compris sur celui où il était. Il pencha la tête et vit le numéro 48 dessus, comme Frances le lui avait dit. Jusqu'à présent, tout ce qu'on lui avait dit ou qu'il avait lu au sujet de Lost River était vrai. Le vieil Horace P. Dunlap n'avait pas menti après tout. Qui aurait pu deviner qu'Oswald vivrait maintenant dans un de ces jolis petits bungalows dont le vieil Horace parlait ? Depuis le jour, un mois plus tôt, où il était allé à son rendez-vous chez le médecin, jusqu'à aujourd'hui, sa vie avait changé du tout au tout. Tout était sens dessus dessous. Même les saisons. Même dans ses rêves les plus fous, Oswald n'aurait jamais pu imaginer, un mois plus tôt, qu'il se retrouverait dans cet endroit étrange, avec tous ces gens étranges. Il se sentait presque comme s'il avait été lancé depuis la bouche d'un canon et qu'il avait abouti sur une autre planète.

Le lendemain, ne sachant quoi faire de sa journée, il demanda à Betty, après le petit-déjeuner, à quelle heure la poste arrivait. Elle lui dit quelque part entre dix et onze heures. Il se rendit sur le quai et attendit. Vers dix heures quarante-cinq, un petit bateau à moteur apparut dans une courbe de la rivière. Oswald observa l'homme qui le conduisait passer d'une boîte à lettres à une autre, ouvrir le couvercle et y lancer adroitement le courrier sans presque ralentir sa course. C'était un homme trapu, portant veste et casquette, qui semblait avoir entre soixante-cinq et soixante-dix ans. Quand il aperçut Oswald, il s'approcha et coupa le moteur.

— Bonjour. Vous devez être monsieur Campbell. Je suis Claude Underwood. Comment allez-vous?

— Je vais bien. Je suis heureux de faire votre connaissance, dit Oswald.

Claude lui tendit un paquet d'enveloppes entouré d'un élastique.

— Depuis combien de temps êtes-vous arrivé?

— Seulement quelques jours.

— Je suis certain que ces dames doivent être heureuses de vous avoir ici.

— Ouais, apparemment que oui, dit Oswald. Hem, dites-moi, monsieur Underwood, je suis curieux à propos de cette rivière. Combien mesure-t-elle?

— Elle a entre huit et dix kilomètres de long. La partie ici est la plus étroite. La partie plus large est par là.

— Comment peut-on s'y rendre?

— Voulez-vous venir avec moi un de ces jours? Je serai heureux de vous la montrer.

— Vraiment? J'aimerais bien. Quand?

— Nous pouvons y aller demain, si vous voulez. Venez me retrouver au bureau de poste vers neuf heures trente et apportez une veste. Il fait froid sur l'eau.

En retournant vers la maison, Oswald s'amusa de voir monsieur Underwood craindre qu'il attrape froid où que ce soit à Lost River. Le calendrier indiquait peut-être le mois de décembre, mais le temps était comme au printemps à Chicago, au début de la saison de base-ball.

❖

Le lendemain matin, au moment où Oswald atteignait le porche du bureau de poste, une très belle femme, vêtue d'un tailleur-pantalon vert lime, sortit par l'autre porte. En apercevant Oswald, elle faillit éclater de rire. Frances l'avait décrit à la perfection. Elle s'approcha de lui.

— Je sais qui vous êtes, dit-elle. Je suis Mildred, la sœur de Frances, alors préparez-vous. Elle organise déjà un souper de fête. Vous êtes mieux d'accepter, de venir et d'en finir avec cette affaire.

Mildred descendit le reste de l'escalier avec un petit rire étouffé. Oswald songea que c'était vraiment une très belle femme, à l'air coquin, très différente de sa sœur. Elle avait un joli visage, comme Frances, mais il n'avait jamais vu de cheveux de cette couleur de toute sa vie.

Dans le bureau de poste, il fit la connaissance de Dottie Nivens, la femme qui l'avait salué le premier matin. Elle lui prit la main et lui fit une drôle de petite révérence.

— Soyez le bienvenu, étranger, dans notre belle communauté, dit-elle d'une voix grave.

Elle n'aurait pas pu être plus amicale. Oswald nota que, n'eût été le grand espace entre ses deux dents de devant et ses cheveux si raides, elle aurait pu être le sosie d'une des sœurs d'Helen.

Il se dirigea vers l'arrière où il trouva Claude qui finissait de trier le courrier et de le mettre en paquets. Dès que Claude eut terminé, il mit le courrier dans un petit chariot. Ils se dirigèrent ensuite vers son camion. Ils passèrent devant quelques maisons avant d'emprunter un chemin de terre jusqu'à un vieux hangar à bateau en bois.

— C'est ici que je garde mon bateau, dit Claude. Avant je le gardais derrière le magasin, mais ces maudits garnements qui se sont installés dans la région ont tellement tiré dessus que j'ai dû l'apporter ici.

Une fois dans le bateau, Oswald chercha un gilet de sauvetage, mais il n'en vit pas. Quand il demanda à Claude où il était, celui-ci le regarda comme s'il croyait à une blague.

— Un gilet de sauvetage?

— Oui. J'en ai un peu honte, mais je ne sais pas nager.

Claude le rassura.

— Pas besoin de gilet de sauvetage ici. Si jamais vous tombez, les alligators vont vous dévorer avant que vous ayez le temps de vous noyer.

Sur ce, il fit démarrer le moteur, et ils se mirent à remonter la rivière. Oswald espérait que Claude plaisantait, mais il faisait bien attention de ne pas mettre ses mains dans l'eau, juste au cas où ce serait vrai. Après la courbe et le pont, la longueur et la largeur de la rivière étaient surprenantes. Elle était très large au centre, avec des maisons sur les deux rives. En direction du nord, pour distribuer le courrier à chaque quai, Claude manœuvrait le bateau dans de minuscules criques où l'eau, à certains endroits, n'avait certainement pas plus de quinze ou vingt centimètres de profondeur. Il ouvrait des boîtes de toutes les tailles, des hautes et des basses, et le bateau poursuivait sa route. Claude ne ralentissait jamais et ne ratait jamais une boîte à lettres.

Oswald était impressionné.

— En avez-vous déjà manqué une?

— Pas encore, dit Claude en lançant un autre paquet d'enveloppes dans une boîte. Mais je suis certain que ça m'arrivera un jour.

Sur certains quais, des gens attendaient et les saluaient et, parfois, des chiens accouraient en aboyant. Claude fouillait dans sa poche et leur lançait un Milk-Bone.

— Vous êtes-vous déjà fait mordre?

— Pas encore.

Environ une heure plus tard, ils firent demi-tour et revinrent sur leurs pas. Oswald remarqua que Claude ne distribuait pas le courrier de l'autre côté de la rivière. Il lui demanda pourquoi.

— Non, je ne vais plus de ce côté-là. J'y allais avant, mais c'est là que vivent les Créoles. Ils ont leur propre facteur à présent.

Oswald observa la rive.

— Est-ce là que vit Julian LaPonde?

— Comment connaissez-vous Julian LaPonde? demanda Claude.

— Roy m'a dit que c'est lui qui a empaillé tous les animaux qui sont dans le magasin.

— Hem, dit Claude en allumant sa pipe. Je suis surpris qu'il ait même mentionné son nom.

Mais il ne dit pas pourquoi il était surpris.

— C'est certainement un bon taxidermiste, mais j'ai eu l'impression que Roy ne l'estime pas tellement comme personne.

— Non, il ne l'estime pas, dit Claude, sans rien ajouter.

Ils avaient passé environ deux heures et demie sur la rivière quand ils revinrent au hangar à bateau. Oswald était épuisé et, en quittant le bateau, il avait les jambes tremblantes. Il avait besoin d'une sieste. Tout cet air frais, c'en était trop pour une seule journée. Il demanda à Claude ce qu'il faisait tous les jours quand il avait terminé son travail.

Les yeux de Claude s'illuminèrent.

— Ah! Alors, je vais à la pêche.

Dîner à vingt heures

Incapable d'éviter Frances Cleverdon, qui habitait la maison voisine, Oswald finit par accepter son invitation à dîner la semaine suivante. Après tout, elle était la première responsable de sa venue à Lost River, et il voulait éviter de la froisser.

Frances habitait un charmant bungalow bleu. L'intérieur était aussi agréable, avec une cuisine entièrement rose – cuisinière, réfrigérateur et évier roses – jusqu'aux tuiles roses et blanches au sol. Frances lui fit voir sa précieuse collection de saucières.

— Je ne comprendrai jamais comment une personne saine d'esprit peut collectionner des saucières, déclara Mildred, dont les cheveux, au grand désespoir de Frances, avaient maintenant la couleur du soda au gingembre.

Même si Oswald avait accepté l'invitation à contrecœur, il trouva la nourriture délicieuse, tout particulièrement le macaroni au fromage. Après le dîner, ils jouèrent une bonne partie de rami.

Toutefois, au grand dam de sa sœur, Mildred ne fit aucun effort pour accélérer les choses du côté d'une idylle. Toute la soirée, elle ronchonna et se plaignit de tout au monde, y compris de l'oiseau que Roy gardait dans son magasin et, entre ses jérémiades au sujet de Jack, elle réussit à conter quelques histoires crues qui firent rire Oswald. Malgré son sourire, Frances était intérieurement consternée et avait envie d'étrangler sa sœur. Comment celle-ci pourrait-elle réussir un jour à se trouver un homme ? Un dîner parfaitement délicieux encore gâté, du moins à son point de vue.

Le lendemain, fidèle à elle-même, Mildred était de retour au magasin, à bougonner contre Jack, qui voletait autour de sa tête.

— As-tu entendu parler des vingt-quatre étourneaux noirs cuits dans une tourte ? Eh bien, mon cher, si tu ne cesses pas de m'embêter, je vais faire une grosse tourte au cardinal rouge !

— Tu es mieux de te méfier, mon garçon, dit Roy en riant, ou bien elle va te faire rôtir pour son dîner un de ces jours.

Malgré toutes les récriminations de Mildred, Roy l'aimait beaucoup. Elle l'amusait, surtout avec sa manie de se teindre les cheveux de toutes les couleurs. De plus, comme Oswald s'en était rendu compte la veille, elle avait un bon répertoire d'histoires grivoises.

Très vite, Oswald s'aperçut qu'il commençait à avoir son train-train quotidien. Tous les matins, après le petit-déjeuner, il allait au magasin, y flânait un moment, puis se rendait au quai pour fumer quelques cigarettes en attendant Claude Underwood et le courrier. Il n'osait pas fumer dans la maison de Betty. Assis à attendre, parfois pendant une ou deux heures, il observait tout ce qui grouillait autour de la rivière et qu'il n'avait jamais vu avant. Toutes sortes de gros oiseaux, huards et aigrettes, oies et canards de différentes espèces, montaient et redescendaient la rivière. Certains se tenaient à deux, mais la plupart étaient en bandes qui s'envolaient et atterrissaient sur l'eau de concert.

Un jour qu'il attendait ainsi, Oswald remarqua un canard noir, seul sur la rivière, et il se demanda ce qui se passait. Pourquoi ce canard solitaire n'était-il pas en couple ou dans une bande? Il ne pouvait ignorer qu'il était censé être avec les autres. Qu'est-ce qui l'avait amené à se séparer de ses congénères? Plus Oswald le regardait nager tout seul, plus il se sentait triste. Il s'aperçut qu'il ressemblait à ce canard. Toute sa vie, il avait été seul au monde pendant que les autres passaient à côté de lui, heureux dans leur propre troupeau, sachant qui ils étaient et où se trouvait leur place.

D'ailleurs, Oswald était un peu triste ces derniers jours. Noël approchait, et Betty écoutait des chants de Noël à la radio. Ça rendait probablement certaines personnes de bonne humeur, mais tous ces «Je serai à la maison pour Noël» et «On n'est jamais aussi bien que chez soi pour les fêtes» le rendaient misérable. Il avait toujours considéré Noël comme une période où tout était organisé pour vous briser le cœur. Enfant, il n'avait jamais reçu rien d'autre que des jouets bon marché, offerts par des gens qui faisaient la charité une fois par année, des jouets qui, dès le lendemain, avaient été soit abîmés soit volés. Même adulte, quand il passait les fêtes dans la famille d'Helen, il se sentait plus que jamais un intrus. C'était toujours pareil; tous les frères et sœurs se réunissaient pour regarder des vidéos maison et se rappeler les merveilleux Noël de leur enfance. Non, à Noël il s'était toujours senti comme si quelqu'un allumait un gros projecteur et le dirigeait vers cet endroit sombre et vide à l'intérieur de lui. Dans le passé, la seule façon qu'il avait trouvée de s'en sortir, c'était de se soûler. Une gueule de bois n'était rien en comparaison du sentiment de solitude qu'on peut ressentir dans une pièce remplie de gens. Cette année, il passerait ce qui pourrait bien être son dernier Noël au bord de la rivière, avec les oiseaux et les canards. C'était mieux que rien, pensa-t-il.

À sa visite suivante au magasin. Oswald se prit à lorgner les caisses de bière empilées dans un coin et il allait se diriger vers elles quand Betty Kitchen arriva. Il décida de s'en tenir à son plan original et de demander à Roy s'il aurait un genre de livre qui pourrait l'aider à identifier les oiseaux et les canards qu'il observait.

— Venez dans le bureau avec moi, dit Roy, je crois que j'ai quelque chose pour vous.

La pièce était en pagaille, avec des piles de papiers, de vieux classeurs et les jouets de Jack partout, mais Roy fouilla dans un amas sur le plancher et tendit à Oswald un vieil exemplaire déchiré, en format de poche, du livre *Les Oiseaux de l'Alabama : Un guide pour les observateurs d'oiseaux.*

— Puis-je vous l'emprunter ? demanda Oswald.

— Je vous le donne. Je n'en ai pas besoin.

Oswald rapporta le livre dans sa chambre. En le feuilletant, il trouva une vieille carte postale, datée de 1932, qui décrivait Lost River.

Un endroit magique, invisible depuis la route nationale à cause de sa situation dans des masses d'arbres feuillus, le long des rives sinueuses de la rivière, entouré de fleurs, de verdure et d'oiseaux chanteurs, comme un rêve de beauté, prêt pour le pinceau et la toile du peintre de paysages.

C'est bien trop vrai, pensa-t-il. Quel endroit merveilleux pour un peintre ou un observateur d'oiseaux ! Il s'aperçut tout à coup que lui, Oswald T. Campbell, étudiait actuellement pour devenir un observateur d'oiseaux. Il n'aurait jamais pensé à mettre l'observation d'oiseaux sur sa liste de CHOSES À FAIRE. En fait, il n'avait jamais eu de liste de CHOSES À FAIRE et, à présent, il était presque trop tard pour faire quoi que ce soit. Tant pis, songea-t-il, *c'est en forgeant qu'on devient forgeron. Mieux vaut tard que jamais.* Il se demanda alors pourquoi il réfléchissait en clichés.

À partir de ce jour, après être allé boire une tasse de café et potiner un peu avec Roy, il prenait son guide d'observateur d'oiseaux, descendait au bord de la rivière et essayait de reconnaître les oiseaux qu'il voyait en les comparant aux photos du livre. Jusqu'alors, il avait identifié un grand héron bleu qui l'avait fait mourir de rire par sa façon de marcher. Il levait les pattes aussi haut que s'il marchait dans de la mélasse. Oswald avait vu des grues, une aigrette neigeuse, des malards, des canards branchus et un martin-pêcheur. Vers le dix-neuf décembre, il avait déjà identifié son premier grand pic. Il espérait bien voir un balbuzard un de ces jours.

❖

Le matin du vingt-deux décembre, quand Oswald se dirigea vers le magasin pour prendre un café avec Roy, il vit que l'immense cèdre devant le centre communautaire avait été orné de centaines de décorations de Noël et de guirlandes dorées et argentées. En arrivant, il demanda à Roy qui avait fait ça. Roy hocha la tête.

— Nous ne le savons pas. Chaque Noël, ça se passe pendant la nuit et personne ne sait qui l'a fait, mais j'ai ma théorie. Je pense que c'est cette bande de femmes bizarres.

— Qui ?

— Oh ! Frances, Mildred et Dottie. Probablement que Betty Kitchen est aussi dans le coup. Je ne peux pas le prouver, mais je vais vous dire quelque chose. Si jamais vous voyez qu'elles portent toutes des vêtements à pois le même jour, méfiez-vous.

Juste à ce moment, la porte s'ouvrit, et Frances Cleverdon entra, l'air radieux et d'excellente humeur.

— Bonjour, monsieur Campbell, dit-elle avec un sourire. Comment vous débrouillez-vous ?

— Très bien.

— J'espère que vous viendrez au dîner annuel de la veille de Noël au centre communautaire. Roy sera là, n'est-ce pas ? Nous allons nous régaler de bons petits plats.

— Je serai là, dit Roy. Hé ! Frances, as-tu vu l'arbre ?

Il fit un clin d'œil à Oswald pendant qu'elle se retournait et regardait de l'autre côté de la rue.

— Eh bien, pour l'amour du ciel ! s'exclama-t-elle, feignant la surprise. Quand est-ce arrivé ?

— Cette nuit.

Frances se tourna vers Oswald.

— L'année dernière, la même chose exactement est arrivée le vingt-trois. Je voudrais bien savoir qui fait ça.

— Ouais, moi aussi, dit Roy. J'expliquais justement à monsieur Campbell que c'est un vrai mystère.

En retournant chez elle, Frances était réjouie. Encore une réalisation des Polka dots ! Frances et Betty Kitchen avaient mis le club sur pied une douzaine d'années plus tôt et les autres membres fondateurs avaient été d'abord Sybil Underwood, puis Dottie Nivens et Mildred. Elles avaient pris le nom d'un groupe qui chantait au Mardi gras à Mobile parce qu'elles voulaient s'amuser autant que s'occuper de bonnes œuvres. Grâce à Dottie Nivens et à son habileté incroyable pour faire des whisky-sodas, qu'elles buvaient dans des verres à martini à pois après chaque réunion, elles s'amusaient bien. Quand leur amie de Lillian, Elizabeth Shivers, en avait entendu parler, elle avait fondé une autre société secrète, l'Ordre mystique du Gruyère royal. Elles s'occupaient aussi beaucoup des bonnes œuvres, mais Frances était persuadée que rien ne pourrait jamais dépasser le secret de l'Arbre mystère.

Le dîner de Noël

Timide de nature, Oswald se sentait toujours mal à l'aise dans les rencontres sociales. C'était la dernière chose au monde qu'il aurait voulu faire en cette veille de Noël, mais il lui sembla qu'il n'avait d'autre choix que d'enfiler son unique habit, bleu, avec une cravate et d'accompagner Betty et sa mère à la cérémonie du dîner et à l'illumination de l'arbre au centre communautaire. On lui avait répété à satiété qu'on comptait sur sa présence. Alors, à dix-sept heures trente, avec Betty Kitchen et sa mère, mademoiselle Alma, dont la coiffure était ornée de trois camélias rouges, il descendit la rue. Avec les vingt degrés qu'il faisait encore à l'extérieur, Oswald avait de la difficulté à croire qu'on était vraiment le vingt-quatre décembre. À leur arrivée, la salle était déjà bondée. À la vue d'Oswald, chacun se faisait un devoir de venir lui serrer la main et lui souhaiter la bienvenue dans la région. Après s'être fait ballotter dans toute la pièce comme un jouet de bois pendant une trentaine de minutes, Oswald se réjouit de voir entrer Roy Grimmitt, l'air aussi mal à l'aise dans son habit bleu, avec cravate, qu'Oswald dans le sien. Vers dix-huit heures trente, après la prière, vint le moment de manger.

— Laissons monsieur Campbell ouvrir le bal, lança quelqu'un.

On tendit une assiette à Oswald et on le poussa vers la longue table, croulant sous la nourriture : poulet frit, jambon, dinde, rôti de bœuf, côtelettes de porc, poulet avec boulettes de pâte et toutes les sortes imaginables de légumes, de tartes et de gâteaux. Au bout, se trouvaient deux énormes bols à punch, remplis de lait de poule épais et odorant. Sur l'un, on avait écrit AVEC ALCOOL et sur l'autre, SANS ALCOOL. Oswald hésita un instant et se posa sérieusement la question, mais au dernier moment il choisit celui qui était sans alcool. Il ne voulait pas se soûler, se couvrir de ridicule et embarrasser Frances. Après tout, personne n'ignorait qu'elle était responsable de sa venue. Les longues tables recouvertes de nappes blanches étaient décorées de tiges de houx frais et de pommes de pin qui avaient été trempées dans de la laque ou de la peinture dorée et argentée, puis saupoudrées de brillants. Sur les murs en bois de pin, d'énormes cloches en papier rouge étaient accrochées à des guirlandes en papier crépon rouge et vert qui faisaient le tour de la pièce, également décorée d'images de la Nativité. Oswald s'assit entre Betty et sa mère. Au milieu du repas, la vieille dame lui pinça les côtes.

— Demandez-moi l'heure qu'il est, dit-elle.

— D'accord, répondit-il. Quelle heure est-il ?

— Une demi-heure après l'heure de s'embrasser, l'heure de s'embrasser encore ! dit-elle.

Elle éclata ensuite d'un rire tonitruant et répéta la même phrase encore et encore jusqu'à ce que Betty se décide à la raccompagner à la maison. Il semblait bien que mademoiselle Alma était tombée dans le lait de poule avec alcool.

Oswald venait de laisser tomber sur sa cravate de la crème chantilly qui recouvrait la tarte aux patates douces quand Dottie Nivens, la présidente de l'Association, prit la parole.

— Avant de procéder aux activités de la soirée, j'aimerais inviter notre visiteur, qui assiste à cette soirée pour la première fois, à se lever et à nous parler un peu de lui.

Tous applaudirent en lui souriant.

Les oreilles d'Oswald devinrent aussi rouges que les cloches sur les murs. Voyant combien il était mal à l'aise, Frances se leva rapidement.

— Restez assis, monsieur Campbell, dit-elle. Monsieur Campbell est mon invité ce soir. Je peux vous dire qu'il a fait le long trajet entre Chicago et Lost River pour échapper au temps froid et maussade et passer l'hiver avec nous ; il restera peut-être plus longtemps, si nous ne le faisons pas fuir avec toutes nos folies.

Tout le monde éclata de rire.

— Alors, soyez le bienvenu dans notre communauté, monsieur Campbell.

Ils applaudirent tous de nouveau, et Oswald esquissa un signe de tête en guise de remerciement.

Les activités de la soirée commençaient par la lecture de *'Twas the Night Before Christmas**, un choix discutable pour une femme qui zézayait, suivie par un solo de « Rudolf le petit renne au nez rouge » joué à la scie musicale. Le clou de la soirée était la visite du père Noël, qui entra dans la pièce, un gros sac à l'épaule.

---

* C'était la nuit avant Noël. (NDT)

Il s'assit devant et nomma les enfants présents, qui vinrent, à tour de rôle, chercher leur cadeau. Oswald remarqua que, de retour à leur place pour ouvrir leur paquet, ils semblaient tous apprécier ce qu'ils avaient reçu. Quand tout le monde eut son présent, le père Noël se leva.

— Voilà! C'est tout, les enfants, dit-il.

Mais alors, en soulevant son sac, il fit semblant de découvrir un autre cadeau.

— Attendez une minute. En voici un autre.

Il lut la carte et regarda autour de lui.

— Y a-t-il un petit garçon ici qui s'appelle Oswald T. Campbell?

En riant, tout le monde le montra du doigt.

— Viens, Oswald, dit le père Noël.

Rendu à côté du père Noël, Oswald s'aperçut que c'était Claude Underwood qui se cachait derrière la barbe.

— As-tu été un bon garçon? demanda-t-il.

En riant, Oswald répondit que oui, il reçut son cadeau et retourna à sa place.

La soirée se termina avec l'illumination de l'arbre. Quand tout le monde fut dehors, les gens s'agglutinèrent et Oswald se retrouva au centre du groupe. Il ne put s'empêcher de penser à la photo, dans la brochure du vieil hôtel, où trente personnes se tenaient sous un rosier. Les gens vivant en Alabama devaient aimer se grouper en masse compacte. Butch Mannich était debout dans l'embrasure de la porte. Les enfants, qui étaient un peu à l'écart, se regroupèrent dans leur propre petite masse et commencèrent à chanter «Mon beau sapin». Butch alluma les lumières et tout le monde applaudit.

À la fin de la soirée, Oswald rentra en compagnie de Frances et de Mildred. Il leur dit que ce qui lui avait paru le plus extraordinaire, à part évidemment tous les bons plats, c'était que tous les enfants semblaient adorer leurs cadeaux. Il ajouta qu'il n'avait presque jamais aimé ce qu'il avait reçu à Noël. En souriant, elles lui expliquèrent la raison pour laquelle ils étaient tous si contents. Chaque année, la postière, Dottie Nivens, ouvrait les lettres que les enfants envoyaient au père Noël et disait à leurs parents exactement ce qu'ils désiraient. En marchant, Oswald remarqua soudain qu'un côté du ciel semblait briller d'une lueur rouge. Frances lui dit que c'étaient les feux que les Créoles allumaient toujours la veille de Noël pour aider Poppa Noël à trouver sa route vers les maisons des enfants créoles.

— Autrefois, nous allions le voir remonter la rivière, mais nous n'y allons plus.

Même s'il était près de vingt heures, la nuit était encore douce et la promenade très agréable avec le clair de lune sur les arbres et les lumières de Noël qui scintillaient dans les fenêtres des maisons. Ils poursuivaient leur route en silence pour écouter le chant des oiseaux de nuit, quand Oswald éprouva soudain un sentiment étrange qu'il eut de la difficulté à définir. En fait, il était heureux d'être allé au dîner ; ça n'avait pas été si désagréable finalement.

À son arrivée chez sa logeuse, il trouva Betty en chemise de nuit, du cold-cream sur le visage.

— Vous n'avez pas besoin d'avoir peur de réveiller maman cette nuit, dit-elle. Elle est soûle comme une bourrique et beurrée comme un petit Lu. Je vais peut-être réussir à me reposer un peu.

Une fois dans sa chambre, Oswald déballa son cadeau et vit que c'était un exemplaire tout neuf, en format de poche, des *Oiseaux de l'Alabama*. La dédicace se lisait, « Joyeux Noël de l'Association communautaire de Lost River ». C'était exactement ce qu'il désirait. Et il n'avait même pas écrit de lettre au père Noël !

En fait, le présent venait de Claude et de Roy. Quelques jours avant Noël, Claude avait dit à Roy que monsieur Campbell lui faisait pitié.

— Pourquoi ?

— Ah ! le pauvre type, il attend tous les jours le courrier sur le quai et tout ce qu'il reçoit, c'est un chèque de pension du gouvernement. Depuis le temps qu'il est ici, il n'a jamais reçu de lettre personnelle, même pas une banale carte de Noël.

Ce qu'ils ignoraient, c'était qu'Oswald n'espérait pas recevoir du courrier. S'il s'installait sur le quai tous les jours, c'était parce qu'il n'avait nulle part où aller, à part le magasin et sa chambre. Il se contentait de tuer le temps en observant les oiseaux et en attendant la mort.

Il est ardu de se faire à l'idée que ses jours sont comptés. Ce qu'Oswald trouvait le plus dur, c'était de se réveiller chaque matin sans projet, sachant que la situation ne pouvait qu'empirer. Selon ce que le médecin lui avait dit, Oswald avait supposé qu'il deviendrait de plus en plus faible avec le temps. Pourtant, le trente et un décembre, en s'éveillant, il s'aperçut qu'il ne toussait pas autant que d'habitude. Il commençait vraiment à se sentir plutôt bien et, pour la première fois de sa vie depuis l'âge de quinze ans, il avait réussi à passer la fête de Noël sobre. Jusqu'alors, il n'avait jamais pu rester membre des AA plus d'une année à la fois, parce qu'il ne passait jamais la période des fêtes sans flancher, habituellement le jour de Noël. Pour la première fois aussi, il éprouvait un autre sentiment étrange. Il était fier de lui et il aurait aimé avoir quelqu'un à qui le confier. Non seulement avait-il passé Noël sans récidiver, mais il avait également pris environ trois kilos depuis son arrivée et il avait remarqué, en se regardant dans la glace, que son teint était meilleur. De toute évidence, cet endroit lui réussissait bien. Merde, songea-t-il, s'il n'avait pas été prévenu, il aurait juré qu'il se portait mieux.

Le jour de l'An, Frances, Betty et les autres résidents de la rue l'invitèrent à entrer et insistèrent tous pour qu'il mange une grosse assiettée de doliques. Ils lui dirent que cela portait chance d'en manger le jour de l'An. Le soir venu, il en avait par-dessus la tête des doliques. Peut-être avaient-ils raison. Peut-être aurait-il de la chance et résisterait-il plus longtemps que prévu.

Quelques matinées plus tard, il venait de s'asseoir pour prendre son petit-déjeuner.

— Monsieur Campbell, vous êtes célèbre, lui annonça Betty. On parle de vous dans les journaux.

Elle lui passa une copie du bulletin d'informations local qui paraissait une fois par mois.

LE LONG DE LA RIVIÈRE
Bulletin d'informations
de l'Association communautaire de Lost River

Oh là là ! Quelle saison des fêtes heureuse
et chargée nous avons eue le long de la rivière !

Tout le monde s'est mis d'accord pour dire que l'Arbre mystère était plus beau que jamais cette année. Gloire aux elfes mystérieux, qui doivent être venus du pôle Nord pour nous surprendre une fois de plus ! Si seulement nous réussissions à savoir qui ils sont, nous pourrions les remercier en personne.

Le dîner de la veille de Noël fut particulièrement délicieux. À Lost River, nous sommes extraordinairement comblés par la présence de nombreuses cuisinières prodigieuses. Merci beaucoup à ces dames et messieurs qui ont fait de la grande salle un lieu festif, rempli de la joie de Noël. Une mention particulière à Sybil Underwood, qui a fourni les décorations pour les tables ; nous avons tous été émerveillés devant ce qu'elle réussit à faire avec de simples pommes de pin et quelques tiges de houx. Merci aussi à son mari, Claude, pour les rougets grillés. Miam-miam ! Nous avons eu un record de participation, et ce fut un bonheur de voir la mère de Betty Kitchen, mademoiselle Alma, de nouveau sur pied. Comme d'habitude, le clou de la soirée pour les enfants fut la visite du bon père Noël en personne. Tous les garçons et filles ont adoré leurs cadeaux, y compris notre nouveau membre, monsieur Oswald T. Campbell. Soyez le bienvenu !

Selon la tradition, la soirée s'est terminée par la cérémonie annuelle de l'illumination. Parmi les oh ! et les ah !, j'ai entendu quelqu'un dire que nous n'avions rien à envier aux gens du *nord, au Rockefeller Center de New York. Bien dit !*

Ainsi finit une autre période des fêtes, qui nous laisse tous complètement éreintés après toutes ces activités, mais rêvant déjà au joyeux Noël de l'an prochain. Entre-temps, vous tous, les tourtereaux, mariés ou célibataires, n'oubliez pas d'amener les élus de vos cœurs au dîner annuel de la Saint-Valentin, le 14 février. Frances Cleverdon et moi-même serons vos hôtesses encore cette année et nous vous promettons que l'amour sera assurément dans l'air !

Dottie Nivens

Quand il eut terminé sa lecture, Betty lui dit :

— Vous savez, monsieur Campbell, Dottie n'est pas complètement étrangère au monde des lettres. Plus jeune, elle a elle-même produit quelques œuvres, à Manhattan.

— Vraiment ? demanda-t-il.

Mais il n'était pas surpris. Elle avait tout à fait le style d'une artiste, avec la longue écharpe noire et le béret en velours noir qu'elle portait presque toujours.

— Oh ! oui, dit Betty. Selon ce que j'ai compris, Dottie vivait en vraie bohémienne à Greenwich Village. Elle m'a dit qu'elle croyait devenir une nouvelle Edna Ferber ou Pearl Buck, mais ça n'a pas fonctionné, et elle a dû se trouver un emploi.

— C'est vraiment dommage, dit-il.

— Oui, mais il y a un côté amusant à l'histoire. Quand Dottie a été nommée notre postière officielle, elle a dit qu'elle avait toujours espéré devenir une femme de lettres, mais que ce n'était pas exactement ce à quoi elle avait pensé.

Oswald comprenait ce qu'elle devait éprouver. Lui-même avait toujours rêvé de devenir architecte, mais il s'était retrouvé à travailler comme dessinateur industriel toute sa vie. Ses ambitions ne s'étaient jamais réalisées. Il avait peut-être beaucoup plus de choses en commun avec elle qu'il ne l'aurait cru, ce qui ferait plaisir à Frances. Même si Oswald l'ignorait, dans son projet secret de le marier, Dottie Nivens était seconde sur la liste, si le mariage entre Mildred et lui ne s'arrangeait pas. Pour le moment, cela n'augurait pas trop bien, du moins selon les confidences que Frances réussissait à soutirer à Mildred. Après le premier dîner avec Oswald chez elle, elle avait tout fait pour obtenir au moins un indice sur les sentiments de sa sœur.

— Eh bien, qu'en penses-tu ? lui avait-elle demandé après le départ d'Oswald, ce soir-là.

Mildred l'avait regardée comme si elle n'avait aucune idée de ce qu'elle voulait dire.

— De quoi ?

Elle savait très bien ce dont Frances parlait et elle ergotait seulement pour l'irriter. Mais ce n'était jamais une mince affaire de faire dire à Mildred ce qu'elle pensait vraiment !

À Lost River, tout était tranquille le dimanche matin. Presque tout le monde, y compris Betty Kitchen et sa mère, se rendait à l'église au village de Lillian. Frances et Mildred avaient offert à Oswald de les accompagner, mais il n'était pas tellement religieux. Il y avait aussi Claude Underwood qui n'y allait pas. Il préférait pêcher. Quand on lui demandait pourquoi, il disait à tout le monde qu'il fréquentait l'église de la truite mouchetée et qu'il aimait beaucoup mieux être sur la rivière plutôt que de porter habit et cravate et de s'enfermer dans un immeuble surchauffé.

Un dimanche du début de janvier, en passant devant le quai, Claude vit Oswald, assis sur sa chaise avec son livre, et il s'approcha de lui.

— Je vois que les femmes ne vous ont pas traîné à Lillian avec elles, dit Claude en souriant.

— Non, elles ont essayé, mais je me suis échappé.

— Que faites-vous?

— Oh! rien, j'observe.

— Pourquoi ne viendriez-vous pas à la pêche avec moi?

— Je ne sais pas pêcher. Pourrais-je y aller juste pour la promenade?

— Bien sûr, montez.

C'était un matin au ciel bleu clair et le soleil brillait sur l'eau. Claude remonta la rivière jusqu'à l'endroit où elle s'élargissait. Des bandes de pélicans volaient à côté du bateau, presque à portée de main. Les deux amis s'installèrent au milieu de la rivière, calme et paisible; le seul bruit était le faible sifflement du moulinet de Claude et le petit floc du leurre qui frappait l'eau. Oswald s'émerveillait de l'aisance et de la grâce avec lesquelles Claude lançait sa ligne et la ramenait, sans effort apparent.

Dans le silence, Oswald entendit des cloches d'église tinter au loin. Il demanda à Claude d'où cela venait.

— De l'église créole, de l'autre côté de la rivière. On entend parfois les cloches quand le vent vient du bon côté. Parfois, le samedi soir, on peut entendre les Créoles jouer leur musique, faire la noce et s'échauffer, ajouta-t-il en riant. Ils savent bien s'amuser, il faut le reconnaître.

— Est-ce que des Créoles viennent parfois de notre côté de la rivière ?

Claude soupira.

— Autrefois oui, mais plus maintenant.

— Comment sont-ils ?

— La plupart sont aussi gentils que possible, ils ont le cœur sur la main. J'ai déjà eu beaucoup de bons amis créoles, mais, depuis l'histoire entre Roy et Julian, nous ne nous voyons plus. Après ce qui s'est passé, tout le monde a dû plus ou moins prendre parti. Comme les Créoles sont presque tous parents, ils ont dû prendre le parti de Julian, qu'ils aient été ou non d'accord avec lui, et nous, de notre côté, avons dû faire de même. C'est une affaire du genre Hatfield et McCoy, je suppose. Nous n'allons pas chez eux et ils ne viennent pas ici.

— Que s'est-il passé ? demanda Oswald, curieux.

— Les femmes ne vous en ont pas parlé ?

— Non.

Claude lança sa ligne et commença à la remonter.

— Eh bien, il y a environ dix-sept ans, peut-être dix-huit maintenant, nous avons eu ici un drame réel à la Roméo et Juliette, et c'est tout un miracle qu'il n'y ait pas eu de meurtre. La situation a longtemps été très pénible. Des menaces s'échangeaient d'un côté à l'autre de la rivière. Roy jurait qu'il allait tuer Julian et Julian, qu'il allait tuer Roy. Encore aujourd'hui, il y a beaucoup de rancœur entre eux. Je pense que si l'un d'eux était pris du mauvais côté de la rivière, il en pâtirait.

Roy semblait à Oswald un homme si modéré.

— Vous croyez vraiment que Roy le tucrait ?

— Aucun doute. Julian ferait de même s'il en avait l'occasion, et c'est une vraie honte. Roy a pratiquement été élevé par Julian et il l'admirait plus que tout jusqu'à cette histoire au sujet de la fille de Julian. Je ne connais pas les détails précis de ce qui s'est passé, mais les femmes le savent. Je suis certain qu'il y a des torts des deux côtés, mais je pense que c'est la fierté de Julian qui est la principale cause du problème.

— Vraiment?

— Ouais. Dans les années mille sept cent, la famille LaPonde possédait tout le Baldwin County jusqu'à Mobile. Le roi d'Espagne avait donné ce territoire à l'arrière-grand-père de Julian, mais avec le temps, la famille l'a presque tout vendu, petit à petit, s'en est fait escroquer une partie et en a perdu beaucoup au poker. Elle a fini par se retrouver avec la seule terre de l'autre côté de la rivière.

Un petit bateau passa à côté d'eux et deux hommes saluèrent Claude.

— As-tu de la chance?

Claude les salua à son tour.

— Pas beaucoup, dit-il.

Ils s'éloignèrent.

— De toute façon, il y a une soixantaine d'années, poursuivit Claude, certains des fermiers qui sont venus dans Baldwin County et y ont acheté des terres ont reproché aux Créoles d'avoir le teint un peu trop foncé, d'être catholiques et de boire plus que de raison. Ils se sont alors mis à discuter de la possibilité d'exclure les enfants créoles de l'école que fréquentaient les leurs. Bien sûr, il devait y avoir une sorte de vote, mais le père de Julian en avait eu vent. Les Créoles ont retiré tous leurs enfants de l'école du comté et en ont construit une chez eux. Julian n'était alors qu'un enfant, mais il avait juré de reprendre tout le territoire cédé par l'Espagne à sa famille, quand il serait grand, et de chasser tous les fermiers, ou peu s'en faut. Il voulait que sa fille, Marie, épouse le garçon Voltaire pour faire revenir d'anciennes terres des LaPonde dans la famille, mais Marie voulait épouser Roy. Comme je le disais, je ne suis pas au courant de tout ce qui s'est passé, mais elle a fini par épouser le garçon Voltaire et Roy s'est enfui pour se joindre aux fusiliers marins.

Oswald ne s'était pas aperçu qu'un poisson avait mordu à l'hameçon de Claude pendant qu'il parlait, mais il le vit alors se pencher sans effort, sortir de l'eau un poisson à l'air mauvais, avec une longue mâchoire pointue pleine de dents et le jeter dans le bateau.

— C'est quoi ça? demanda Oswald en s'écartant.

— Ça, monsieur, c'est une orphie. Elle est batailleuse, mais elle n'est pas bonne à manger, dit-il en décrochant le poisson. Excuse-moi, camarade, ajouta-t-il en le remettant à l'eau.

La semaine suivante, quand il retourna dîner avec Frances et Mildred, Oswald demanda à Frances ce qu'elle savait de la querelle entre Roy et Julian LaPonde.

— Oh! monsieur Campbell, lui dit-elle en le regardant, ça ne vaut même pas la peine d'en parler; c'était terrible. J'aime mieux ne pas vous dire à quel point c'était atroce.

Elle s'assit ensuite sur le canapé et entreprit de lui raconter toute l'histoire.

— Pendant cette pagaille, Ralph, mon pauvre mari, devait se lever et se rendre au magasin au milieu de la nuit pour essayer de retenir Roy et l'empêcher de traverser la rivière afin d'aller tuer Julian. Évidemment, d'après ce que j'ai su, ses parents devaient aussi empêcher Julian de venir ici pour tuer Roy. Julian accusait Roy d'avoir terni la réputation de sa fille, une idiotie, et disait qu'il allait venir tirer sur lui s'il en avait l'occasion. Ralph me disait que le pauvre Roy était dans le magasin et qu'il pleurait toutes les larmes de son corps. Il était tellement amoureux de Marie LaPonde, et on ne pouvait pas le lui reprocher. C'était une fille splendide. Il faut dire que, tout mesquin qu'il soit, Julian a toujours été un bel homme, n'est-ce pas, Mildred?

Ce soir-là, Mildred avait les cheveux noirs avec une longue mèche blanche au centre.

— Je ne sais pas. Je n'ai jamais vu cet homme, dit-elle.

— Oh! c'est vrai, dit Frances. Tu n'étais pas encore ici, mais il était aussi beau qu'une vedette de cinéma avec ses yeux bleu-vert; toutes les femmes en étaient folles. Roy et Marie avaient presque été élevés ensemble et ils étaient amoureux l'un de l'autre depuis leur enfance. Alors, quand il a eu dix-huit ans, Roy a dit à Julian que Marie et lui voulaient se marier. Julian a piqué une colère, a refusé tout net, pas question. Si Roy voulait épouser Marie, il devrait lui marcher sur le corps. La mère de Marie, qui aimait Roy comme un fils, a supplié Julian de changer d'idée, ainsi que l'oncle de Roy, qui était un de ses bons amis, mais il n'a rien voulu entendre. Il prétendait qu'il était contre parce que Roy n'était pas catholique, mais la vérité, c'est que Julian voulait ravoir la terre des Voltaire et que le seul moyen d'y arriver était que Marie épouse quelqu'un de la famille. Quand tout le reste eut failli, Roy a réussi à envoyer une note à Marie. Il a traversé la rivière à la rame, tard le soir, pour qu'ils s'enfuient ensemble et aillent se marier ailleurs. Mais Julian les a surpris au moment où ils quittaient le quai. Il a fait sortir Marie du bateau et a tiré sur Roy. Oh! c'était terrible. Certains racontent qu'ils ont entendu la pauvre Marie pleurer et supplier son père depuis l'autre côté de la rivière. Le lendemain, Julian a amené Marie dans un couvent, là où Roy ne pourrait pas la retrouver.

— Pourquoi n'est-elle pas tout simplement partie? demanda Mildred. C'est ce que j'aurais fait.

— Je ne pense pas que c'était aussi simple, Mildred. Elle avait sans doute peur que son père s'en prenne à Roy. À moins que, en bonne petite fille catholique, elle se soit sentie obligée de lui obéir. De toute façon, un an plus tard, elle a réussi à envoyer une lettre à Roy pour lui dire qu'elle avait décidé d'épouser le garçon Voltaire. Et savez-vous ce qu'il y a de plus triste dans cette histoire?

— Le dîner va refroidir, dit Mildred qui avait déjà sifflé deux vodkas martinis.

Frances ignora sa sœur et poursuivit.

— Le pire de l'histoire, c'est que le garçon Voltaire a perdu toute la terre de sa famille au jeu et qu'il a dû s'exiler en Louisiane avec Marie. Alors, Julian a brisé deux cœurs et détruit deux vies pour rien. C'est une tragédie vécue, alors nous n'en parlons pas. Surtout à Roy. Je sais qu'il est toujours amoureux d'elle.

Mildred se tourna vers Oswald.

— Ça ressemble à l'intrigue d'un très mauvais roman, pas vrai?

Tu es bien placée pour le savoir, songea Frances en se levant pour aller dans la cuisine, mais elle ne dit rien. Elle ne voulait pas que monsieur Campbell soit au courant du genre de navets que lisait sa sœur et elle aurait souhaité que Mildred ressemble davantage à Dottie Nivens, qui aspirait au moins à s'améliorer. Elle lisait de la grande littérature, Chaucer, Proust et Jane Austen, pas ces petits romans d'amour à quatre sous que Mildred choisissait toujours. En sortant le rôti de sa cuisinière rose, elle se demanda aussi pourquoi Mildred avait mis ce chemisier décolleté qui laissait abondamment voir le haut de sa poitrine. Était-elle attirée par monsieur Campbell? Ou bien ne faisait-elle tout simplement pas attention à ce qu'elle portait? Avec Mildred, on ne savait jamais.

Une petite visiteuse

Un après-midi, Oswald parlait avec Roy près de la caisse enregistreuse quand ce dernier s'empara soudain d'un crayon et fit semblant d'écrire.

— Ne regardez pas maintenant, dit-il, mais la petite fille dont je vous parlais est de retour.

Roy avait vu la fillette pour la première fois quelques semaines auparavant. Il avait d'abord aperçu seulement le dessus d'une petite tête blonde qui était apparu dans la fenêtre du côté, suivi de deux grands yeux bleus qui regardaient fixement Jack courir dans sa roue en plastique et faire tinter ses clochettes. Mais, dès qu'elle vit Roy, elle disparut aussitôt. Le temps que Roy sorte et fasse le tour de la bâtisse, elle n'était plus là. Depuis, il l'avait revue quelques fois, et c'était toujours la même chose ; dès qu'elle s'apercevait qu'il la regardait, elle s'enfuyait sans laisser de traces.

À l'une de ses visites, il avait réussi à l'observer avant qu'elle le voie. Il s'était retourné rapidement et avait fait semblant de ne pas l'avoir remarquée. Selon ce qu'il avait pu constater, c'était une enfant ravissante, certainement timide et effrayée par les gens, mais manifestement fascinée par l'oiseau. Elle s'était ensuite mise à venir tous les jours, ce qui réjouissait Roy.

— Qui est-elle? demanda Oswald sans se retourner.

— Je ne sais pas. J'ai posé la question à Frances et à Dottie, mais personne ne sait qui elle est ni d'où elle vient. J'aimerais tellement réussir à la faire entrer.

À mesure que les jours passaient, la fillette devenait de plus en plus audacieuse et, un après-midi, elle resta sur place quand Roy ouvrit la porte.

— Aimerais-tu entrer? lui demanda-t-il. L'oiseau ne peut pas sortir, mais en venant à l'intérieur tu pourras le caresser si tu veux. Il va se laisser faire.

En l'observant mieux, Roy la trouva si petite qu'il estima son âge à cinq ou six ans. Elle était pieds nus et portait une robe en coton déchirée et sale. Elle restait immobile, partagée entre la peur que lui inspirait Roy et l'envie de voir Jack de plus près.

— Viens. Personne ne va te faire de mal. Attends une minute, ajouta-t-il en s'apercevant qu'elle s'apprêtait à partir.

Il retourna à l'intérieur, prit Jack, serra ses pattes entre son pouce et son index et s'approcha de la porte pour le lui montrer.

— Tu vois. Tu peux le prendre si tu veux. Il est apprivoisé, il ne te fera pas mal.

Jack la regardait à travers la porte moustiquaire en chantant.

— Cui-cui, cui-cui, cui-cui, oiseau, oiseau, oiseau.

La fillette ne put résister longtemps et commença lentement à s'approcher de la porte. Roy remarqua alors quelque chose qui n'allait pas. À mesure qu'elle avançait, il vit que son corps était légèrement tordu et qu'elle traînait sa jambe droite derrière elle.

— Comment t'appelles-tu? lui demanda-t-il quand elle entra enfin, sans quitter Jack des yeux.

— Patsy, répondit-elle si bas qu'il l'entendit à peine.

— Eh bien, Patsy, voici Jack.

Depuis le temps, Roy avait remarqué que la plupart des enfants aussi jeunes étaient d'abord craintifs avant de toucher à l'oiseau, mais pas elle. Elle avait peut-être peur des gens, mais pas de Jack.

— Puis-je le prendre? demanda-t-elle.

— Bien sûr.

Elle tendit un doigt. Jack passa du doigt de Roy au sien où il s'installa en dressant la tête et en clignant des yeux. Habituellement, quand Roy mettait Jack sur le doigt de quelqu'un d'autre, il sautait rapidement de nouveau sur le sien. Pas cette fois.

— Il t'aime, dit Roy.

Ses yeux étaient tout grands d'émerveillement.

— C'est vrai? demanda-t-elle.

— Oh! oui.

À cet instant, Jack sautilla sur le doigt de la fillette, remonta le long de son bras, s'installa sur son épaule et lui caressa la joue avec la tête.

— Ça alors! je n'en reviens pas, dit Roy.

Ce fut le début d'une histoire d'amour entre Jack et Patsy.

Quand Patsy quitta le magasin, cette première fois, Roy sortit et regarda dans quelle direction elle allait. Il finit par deviner où elle habitait et pourquoi personne du village ne savait qui elle était. Elle se dirigeait du côté où demeuraient les gens qui vivaient au fond des bois. Elle appartenait probablement à la même famille que les deux garnements qui avaient tiré sur Jack et elle avait sans doute entendu parler de l'oiseau par eux. Il se rappela que le premier jour où elle était apparue était le même que celui où il avait vu les garçons passer devant le magasin et regarder Jack. Quelle honte, songea Roy; il imaginait très bien le genre de vie qu'elle devait mener. Mais tout ce qu'il pouvait faire, c'était d'être aussi gentil que possible avec elle quand elle était là. Les personnes qui vivaient au fond des bois étaient du genre à ne jamais demeurer longtemps nulle part. Il s'agissait le plus souvent de travailleurs agricoles qui traversaient la région pour cueillir des fraises ou récolter des pacanes et qui s'en allaient ensuite ailleurs.

Après avoir caressé l'oiseau pour la première fois, la fillette revint au magasin tous les jours pour jouer avec Jack pendant des heures. Elle était toujours terrifiée par les gens et timide avec Roy, que sa présence ne gênait nullement. Elle était très silencieuse. Il l'entendait parler seulement aux moments où elle était seule avec Jack dans le bureau. Quand Roy passait devant la porte, il l'entendait babiller avec l'oiseau – et il avait bien l'impression que l'oiseau lui répondait. Il aurait voulu comprendre ce qu'elle disait, mais il ne réussissait pas à l'entendre assez bien. Au bout de quelques semaines, elle en vint à sortir du bureau et à parler avec les gens. Quand Roy la présenta pour la première fois à Oswald, qui n'était habituellement pas à l'aise avec les enfants, il se pencha maladroitement vers elle et lui serra la main.

— Bonjour, petite fille, dit-il. Comment vas-tu?

Il fut étonné de la petitesse de sa main. En la regardant s'éloigner, il s'aperçut de sa grave infirmité.

— Quelle pitié! s'exclama-t-il. C'est une si charmante fillette.

Roy se retourna pour la regarder entrer dans le bureau.

— Ouais, ça donne envie de casser la gueule à quelqu'un, pas vrai?

Quand Oswald revint au magasin, il vit Patsy au fond qui lui faisait timidement signe de s'approcher.

— Voulez-vous savoir un secret? lui demanda-t-elle.

— Oui, je voudrais bien.

Elle lui fit signe de se pencher et lui chuchota à l'oreille:

— Jack est mon meilleur ami.

— Vraiment? dit-il en feignant la stupéfaction. Comment le sais-tu? demanda-t-il en chuchotant à son tour.

— Il me l'a dit.

— Ah! oui. Et que t'a-t-il dit?

— Je le lui ai dit d'abord, puis il me l'a dit.

— Je vois.

— Mais il a dit que je pouvais vous le dire.

— Eh bien, dis-lui que je le remercie.

— D'accord.

En s'approchant de la caisse enregistreuse, il riait sous cape.

— Hé! Roy, saviez-vous qu'elle est dans le bureau en train de parler à votre oiseau?

— Oh! oui, je l'entends babiller toute la journée, perdue dans son propre univers. Mais savez-vous quoi? Étant donné ce qu'elle doit trouver quand elle retourne chez elle, le soir, la petite a probablement besoin d'un peu de magie dans sa vie. Quant à moi, elle peut rester dans le bureau toute sa vie.

Évidemment, lorsque Frances et les autres femmes virent la fillette, elles furent consternées, pas seulement à cause de son infirmité, mais aussi de sa maigreur et de sa malpropreté. Butch Mannich se mit en colère et fulmina. Il ne pouvait supporter ce genre de négligence envers les enfants. Étant huissier, il connaissait bien la sorte de gens qui s'installaient au fond des bois et il savait comment ils étaient.

— Ils traitent leurs enfants moins bien que toi ou moi traiterions un chien, dit-il.

À partir de ce moment, chaque fois que Frances rentrait dans le magasin, la vue de la fillette lui brisait le cœur.

— Je suis morte d'inquiétude pour elle, dit-elle à Roy, et je me demande à quoi peut ressembler sa mère pour laisser une enfant infirme errer comme un animal sauvage. Quelqu'un devrait faire quelque chose.

— Je sais, Frances, dit Roy en hochant la tête. J'ai essayé de la nourrir, mais elle ne veut rien accepter de moi, sauf quelques bonbons. Tout ce qu'elle souhaite, c'est jouer avec Jack toute la journée. Ça me fait de la peine, mais elle ne nous appartient pas et nous n'y pouvons rien.

Une invention

Avec le temps, Patsy conquit tous ceux qui la rencontraient. Oswald se rendit compte qu'il allait maintenant au magasin surtout pour rendre visite à Patsy. En fait, après quelques semaines, il s'aperçut à sa grande surprise qu'il était fou de la petite fille. C'était le premier et seul enfant qu'il ait jamais aimé. Il avait toujours été surtout en contact avec des garçons et il s'imagina que c'était parce que c'était une fille, si petite et fragile. Peut-être était-ce aussi parce qu'il se sentait une certaine parenté avec Patsy – comme avec Jack d'ailleurs. Ils souffraient tous les trois d'un handicap, d'une façon ou d'une autre. Comme d'habitude, il se rendit au magasin un matin et la trouva dans le bureau à jouer avec Jack.

— Comment vas-tu aujourd'hui, Patsy?

— Bien.

— Que fais-tu?

— Rien. Jack et moi, on joue ensemble.

Elle faisait semblant de servir du thé à Jack et elle offrit à Oswald une tasse de thé imaginaire.

— Hé! Patsy, quel âge as-tu? demanda-t-il.

— Je sais pas.

— Eh bien, quand est ton prochain anniversaire ?
Elle y réfléchit.

— Je sais pas. Je pense que j'en ai pas.

— Tu n'as pas d'anniversaire de naissance ?

— Non.

Il lui demanda une autre tasse de thé imaginaire et fit semblant de le boire.

— Sais-tu quoi ? Tu ne me croiras pas, mais je n'ai pas d'anniversaire moi non plus. J'ai une idée. Toi et moi, on va s'en inventer un. Ensuite, nous fêterons notre anniversaire le même jour. D'accord ? Et nous n'en parlerons à personne ; ce sera notre secret.

— D'accord, dit-elle.

Il consulta le calendrier au mur.

— Que dirais-tu de mercredi, dans trois jours ?

— Est-ce que ça peut être l'anniversaire de Jack aussi ?

— Pourquoi pas ?

— D'accord, dit-elle.

Ils se serrèrent la main.

Le lendemain, Oswald demanda à Butch s'il pourrait le conduire à Lillian. Comme il n'avait jamais acheté de cadeau pour un enfant, il se sentait bien embarrassé. Il fit le tour du plus grand magasin de la petite ville en cherchant ce qui pourrait faire plaisir à la fillette. Il ne savait pas comment choisir une poupée ou un jouet pour les filles, mais il aperçut alors une casquette noire décorée avec des bouchons de bouteilles de Dr Pepper.

Quand vint le mercredi, ils célébrèrent leur anniversaire secret dans le bureau. Il lui donna le chapeau et elle lui offrit deux bonbons qu'elle avait gardés et emballés dans du papier brun avec de la ficelle. Elle était aussi excitée par son chapeau qu'il l'avait espéré. Oswald resta un long moment assis à manger les bonbons, à boire du thé imaginaire et à regarder Jack picorer les graines de tournesol qu'il avait reçues en cadeau.

— Tu sais, Patsy, dit-il enfin, c'est le plus bel anniversaire de ma vie.

Assise en face de lui, elle portait fièrement son nouveau chapeau Dr Pepper.

— Moi aussi ! déclara-t-elle.

Plus tard, Oswald eut une autre idée et alla retrouver Roy près de la caisse enregistreuse.

— Hé ! Roy, avez-vous un appareil photo ?

— Ouais.

— Puis-je l'emprunter ? Je veux faire une photo de Patsy.

— Bien sûr, attendez que je mette un film dedans et nous procéderons.

Après avoir discuté un certain temps pour choisir l'endroit où la lumière était la meilleure, ils installèrent Patsy devant la porte du magasin, Jack sur un doigt et sa casquette neuve sur la tête. Une semaine plus tard, Oswald apporta la photo en noir et blanc qu'il avait fait développer et la montra à Patsy. Il en avait fait tirer trois copies, une pour Roy, une pour Patsy et une pour lui-même. Roy colla la photo sur le côté de la caisse enregistreuse pour que tous les clients puissent la voir. Sous la photo, il inscrivit : PASTY ET JACK LE JOUR DE LEUR ANNIVERSAIRE.

Un dilemme

Un matin de février, en entrant dans le magasin, Roy siffla Jack, sans succès. Il siffla de nouveau. Pas de réponse. Il regarda autour de lui en se demandant ce que le petit farceur avait inventé ce jour-là quand il aperçut soudain un gant d'homme qui se promenait sur les laitues et les citrons. Pendant la nuit, après avoir réussi à se glisser à l'intérieur du gant, Jack y était resté prisonnier. Roy s'approcha pour le libérer. Jack était tout ébouriffé et furieux; il devait y être enfermé depuis des heures. Il secoua ses plumes, marcha sur les citrons en donnant de grands coups de pattes et glissa entre deux fruits, ce qui le fit rager encore plus. Roy éclata de rire.

— Toi, mon petit farceur.

L'oiseau s'attirait toujours des ennuis. La semaine précédente, Roy l'avait surpris à donner des coups de bec dans toutes les tomates. Plus tard la même journée, Mildred était venue et elle avait crié au meurtre.

— Il n'y a pas une seule bonne tomate ici, avait-elle dit. Comment peut-on espérer préparer une salade convenable tant que cet horrible oiseau sera dans les parages?

Jack avait répondu en courant sur sa roue et en faisant tinter ses clochettes, comme s'il se moquait de Mildred. Roy avait trouvé cela hilarant, pas Mildred.

❖

Oswald avait récemment commencé à se lever à l'aube et il se retrouvait généralement au magasin vers sept heures, pour boire un café avec Roy avant de se rendre au bord de la rivière. Mais un matin, Oswald, le visage empourpré, frappait déjà à la fenêtre dès six heures trente. Roy alla lui ouvrir la porte.

— Vite! laissez-moi entrer, dit Oswald en se précipitant à l'intérieur.

— Que se passe-t-il?

— Je suis dans de beaux draps, mon ami. Betty, Mildred, Frances, et maintenant Dottie Nivens, m'ont toutes demandé de les accompagner à la fête de la Saint-Valentin à la salle communautaire, et je ne sais pas quoi faire. Oh! mon ami, se lamenta Oswald en se tordant les mains. Ces femmes vont me rendre de nouveau alcoolique.

— Eh bien, qui sera l'heureuse élue?

— Qu'importe? Quelle que soit celle que je choisirai, les autres vont m'en vouloir.

Roy réfléchit.

— À votre place, j'expliquerais la situation à Frances et je les laisserais régler cela entre elles.

Après le départ de son ami, Roy se prit à sourire. Oswald était certainement le don Juan le plus inimaginable qu'il ait jamais vu.

Oswald aurait été entièrement d'accord avec lui. Jamais de sa vie, une femme ne l'avait invité à une sortie, encore moins quatre le même soir. À contrecœur, il expliqua la situation à Frances.

Il apparut finalement que les quatre l'avaient invité parce qu'elles voulaient s'assurer qu'il ne se sentirait pas exclu et qu'elles ignoraient que les autres avaient fait de même. Il fut donc décidé que les quatre femmes seraient toutes ses cavalières.

Le soir de la Saint-Valentin, le pauvre Oswald, qui portait un nœud papillon rouge, ne put éviter une seule danse, même s'il était un danseur médiocre. Il valsa avec Frances sur une version romantique de «Alabama de rêve», dansa le jitterbug avec Dottie Nivens et un vieux tango avec Mildred, pour finir la soirée dans les bras de sa logeuse sur l'air de «Bonne nuit, mon amour».

LE LONG DE LA RIVIÈRE
Bulletin d'informations
de l'Association communautaire de Lost River

Quelle merveilleuse soirée ce fut pour tous ceux qui ont assisté à la danse annuelle des Amoureux! La musique mélodieuse, qui a littéralement fait gigoter nos orteils dans nos chaussures, nous a été offerte par le toujours populaire groupe Auburn Knights Swing Band. Nous avons été fortement impressionnés par la musicalité et l'ampleur de leur répertoire, du fox-trot aux styles plus jazzy et aux intermèdes de bossa-nova. Mais le clou de la soirée fut la performance toute en souplesse de notre propre Fred Astaire, en la personne d'Oswald T. Campbell qui, pourrait-on dire, a vraiment été la reine du bal!

Après avoir lu ce premier paragraphe et, plus tard, quand Roy et Claude commencèrent à l'appeler «ma reine», Oswald décida que toutes ces attentions féminines lui détraquaient les nerfs. Il avait tant d'invitations à dîner qu'il lui fallait un agenda pour les noter.

Il avait besoin d'aller à une rencontre des AA, et vite.

Butch Mannich avait beaucoup d'amis dans les villages voisins. Un peu plus tard, quand Oswald le rencontra dans la rue, il l'arrêta et lui demanda si, par hasard, il connaissait quelqu'un qui faisait partie des AA.

Le visage de Butch s'éclaircit.

— Oui, bien sûr que oui. Je connais un homme à Elberta qui en est membre. Je ne savais pas que c'était aussi votre cas, monsieur Campbell.

— Oui, dit Oswald, mais je n'en suis pas particulièrement fier et j'aimerais beaucoup que vous gardiez cela pour vous. Je ne veux pas qu'on le sache, surtout pas Frances.

Butch acquiesça.

— Je comprends tout à fait, monsieur Campbell, chuchota-t-il, et je ne vous blâme pas, mais ne vous en faites pas. Votre secret est en sécurité. Je serai muet comme une tombe.

Butch regarda autour de lui pour voir si quelqu'un les observait et écrivit rapidement un nom et un numéro de téléphone sur un bout de papier. Il regarda de nouveau autour de lui pour s'assurer que personne ne le voyait et il passa subrepticement le papier à Oswald.

Oswald téléphona l'après-midi même. Ce fut un homme qui lui répondit.

— Êtes-vous monsieur Krause ?

— C'est moi.

— Monsieur Krause, c'est Butch Mannich, de Lost River, qui m'a donné votre nom.

— Vous voulez dire Stick ?

— Oui, monsieur.

— Eh bien, les amis de Stick sont les miens. Que puis-je faire pour vous ?

— Euh… j'ai compris que vous apparteniez aux AA et je voulais vous demander quand la prochaine rencontre aura lieu.

Monsieur Krause lui dit qu'il y avait une réunion hebdomadaire à vingt heures le vendredi soir, à la salle des Chevaliers de Colomb d'Elberta, et qu'il serait le bienvenu.

— Nous serons heureux de vous accueillir. Nous sommes toujours contents d'avoir de nouveaux membres. D'où venez-vous ?

— De Chicago.

Monsieur Krause parut impressionné.

— Ah ! Chicago. Je suppose qu'il y a beaucoup d'associations là-bas. Ici, nous sommes un petit groupe. Êtes-vous novice, monsieur Campbell, ou avez-vous un peu d'expérience ?

— Non, je ne suis pas novice, j'en fais partie depuis quelques années, mais il y a longtemps que je n'ai assisté à une réunion et, comme vous le savez, quand on a arrêté un certain temps, c'est difficile de recommencer à zéro dans une nouvelle ville.

— Vous avez bien raison, monsieur Campbell. Vous devez continuer de participer, sinon vous perdrez la main. Mais ne vous inquiétez pas, nous allons vous remettre dans le bain en un rien de temps.

— À propos, est-ce une rencontre d'hommes? demanda Oswald.

— Nous avons une ou deux femmes, mais une majorité d'hommes.

Bien, songea Oswald. Une vraie récréation!

Le vendredi soir, Butch dit qu'il serait heureux de conduire Oswald à la réunion. De toute façon, il avait des gens à voir. Ils se mirent en route avant la tombée de la nuit. Elberta était une petite communauté de fermiers allemands, une quinzaine de kilomètres à l'est, et les maisons avaient presque l'air bavarois. Butch l'amena au Elks Club, dont il était membre, et le présenta à quelques-uns de ses amis. Vers dix-neuf heures trente, après un repas de hamburgers au pavillon du club, Butch le conduisit au centre du village, se gara dans une rue voisine et regarda furtivement dans toutes les directions, pour s'assurer que la voie était libre, avant de le laisser sortir.

— Je vais venir vous reprendre dans une heure, dit-il.

Oswald lui demanda s'il pouvait lui laisser une heure et demie.

— Comme c'est ma première réunion ici, je voudrais prendre le temps de faire la connaissance de quelques membres du groupe.

— Aucun problème, dit Butch. Et ne vous inquiétez pas, monsieur Campbell, motus et bouche cousue.

Sur ce, il s'éloigna rapidement dans la nuit.

Oswald entra dans la grande bâtisse des Chevaliers de Colomb et y vit une affiche avec l'inscription ALABAMA AA et une flèche pointant vers l'étage. Un gros homme en bretelles l'accueillit avec une poignée de main costaude et une tape dans le dos qui faillit lui faire perdre l'équilibre.

— Monsieur Campbell? Ed Krause. Soyez le bienvenu dans notre petit groupe.

Oswald regarda la pièce autour de lui. Il y avait déjà six ou sept hommes à l'air avenant, assis sur des chaises en bois, qui lui souriaient.

Monsieur Krause lui indiqua une chaise.

— Où est votre instrument, monsieur Campbell?

Oswald n'était pas certain d'avoir bien entendu.

— Je vous demande pardon?

En regardant de nouveau autour de lui, il s'aperçut que tous les hommes sortaient des accordéons de leurs étuis posés à côté de chaque chaise.

Quand un autre homme entra dans la pièce avec un grand étui noir et une brassée de partitions dans les bras, Oswald comprit tout à coup qu'il se trouvait dans une réunion de l'Association des accordéonistes d'Alabama!

Il se tourna vers monsieur Krause.

— Ah!... Je vais vous dire, monsieur Krause, je crois que je vais me contenter d'écouter, ce soir. Mon instrument est en panne, si je puis dire.

— C'est vraiment dommage, dit monsieur Krause d'un ton déçu. Nous espérions avoir un peu de sang neuf.

Oswald se mit dans un coin, s'assit et écouta. Il y eut plusieurs polkas et une version plutôt enlevée de «La Goualante du pauvre Jean», avant qu'arrive l'heure où Butch devait venir le reprendre.

Celui-ci lui demanda comment était la réunion et Oswald lui répondit que tout s'était bien passé.

Sur le chemin du retour, Oswald réfléchit et se demanda ce qui était le pire entre être accordéoniste et être alcoolique. Il conclut que c'était blanc bonnet et bonnet blanc.

Déçu qu'il n'y ait pas de rencontres des AA dans les environs, il se consola en songeant qu'il s'en tirait bien à simplement se tenir sur le quai et à regarder les oiseaux tous les jours. Cela semblait le calmer et, de plus, c'était vraiment intéressant. Il ne s'ennuyait pas. Il y avait tant à voir. Un jour qu'il était assis sur le quai, occupé à observer les oiseaux, un grand héron bleu le regarda dans les yeux, et il vint à l'esprit d'Oswald que les oiseaux l'observaient peut-être aussi. Il se demanda ce qu'ils pensaient de lui et comment ils pourraient l'identifier.

Son guide *Les Oiseaux d'Alabama* lui avait donné des indications sur la façon de reconnaître les oiseaux par leur taille, leur couleur et leur aire. Il décida de regarder dans son livre pour imaginer ce que les oiseaux y écriraient à son sujet. Il chercha ce qui le décrirait le mieux sous la rubrique AIRE.

RÉSIDANTS PERMANENTS : vivent dans la même région géographique toute l'année.

RÉSIDANTS ESTIVAUX : ont et élèvent leurs petits dans une région géographique, puis passent l'hiver dans des régions plus chaudes.

VISITEURS HIVERNAUX : viennent dans une région géographique seulement pendant les mois d'hiver, après leur saison de nidification.

MIGRATEURS : passent par une région géo-graphique seulement une ou deux fois par année pendant leurs migrations de printemps ou d'automne.

ACCIDENTELS : oiseaux qu'on ne s'attend pas à trouver dans une région particulière et qui sont donc des visiteurs-surprises.

Tout en lisant le guide, il détermina qu'il était manifestement un oiseau de taille moyenne, à la tête rouge, accidentel et sans nidification. Au moins, il savait maintenant ce qu'il était et il y trouva une source d'amusement sans fin. Après tout, il était un oiseau rare.

L'hiver

Le matin du vingt et un février, tout Lost River se mit à déclarer :

— Eh bien, l'hiver est arrivé.

Chacun faisait remarquer, d'un ton horrifié, que la température avait baissé, la nuit précédente, jusqu'à une dizaine de degrés. L'après-midi, en regardant de l'autre côté de la rivière, Oswald vit pour la première fois de la fumée bleue qui s'élevait en spirale des cheminées. Des odeurs de feux de bois, de bûches de pin, de noyer et de cèdre, flottaient dans l'air.

Oswald ne se plaignit pas du temps plus frais, surtout parce qu'il découvrit bientôt les magnifiques couchers de soleil d'hiver. Le spectacle du soleil qui se couchait sur la rivière était plus splendide que tout ce qu'il avait vu auparavant. C'était fascinant. Oswald adorait s'asseoir sur le quai, dans l'air vif, devant la rivière si calme qu'on pouvait entendre un chien aboyer à plus d'un kilomètre. Tous les après-midi, il voyait le ciel passer de l'orange brûlé au saumon, au rose, au vert lime et jusqu'au pourpre. Des nuages bleus et roses se reflétaient dans l'eau et, pendant que le soleil disparaissait lentement, Oswald regardait la rivière se teinter d'un bleu sarcelle, puis d'un vert et or iridescent, qui lui rappelait les papiers d'emballage des chocolats de luxe. Puis venaient un marron clair et enfin un brun profond. À la tombée de la nuit, les oiseaux et les canards qui passaient en vol devenaient des silhouettes sombres dans le ciel. Chaque soir, il s'asseyait là, à observer les changements de couleur et les cercles que formaient les courants dans l'eau, jusqu'à ce que la lune apparaisse derrière lui et s'élève ensuite au-dessus de la rivière.

Aux dernières lueurs du jour, il apercevait le reflet des lumières vertes sur les quais d'en face et les étoiles qui scintillaient dans la rivière comme de petits diamants. Quel spectacle ! Meilleur que tous les films qu'il avait vus et, en plus, différent chaque soir. C'était parfois tellement parfait qu'il aurait voulu arrêter le temps, le faire durer, mais il ignorait comment. Comment arrêter le temps ? Avec chaque jour qui passait, son propre temps s'épuisait, il le savait, et personne n'y pouvait rien. Si ç'avait été possible, il l'aurait arrêté juste à ce moment-là, sur la rivière, pendant qu'il allait encore assez bien pour l'apprécier.

Quelques semaines plus tard, Oswald se sentait toujours bien, et Jack continuait de faire rire tout le monde, sauf Mildred. La vie suivait son cours habituel jusqu'à un samedi matin, quand Patsy se présenta au magasin pour voir Jack. Elle avait la moitié du visage tuméfié, et il était évident que quelqu'un l'avait frappée. Roy lui demanda comment c'était arrivé, mais elle ne voulut rien dire. Butch, qui était allé au magasin très tôt ce matin-là, était fou de rage. Avec son mètre quatre-vingt-treize et ses cinquante-neuf kilos, il se précipita chez Frances, en colère, et ouvrit la porte à la volée.

— C'est la goutte qui fait déborder le vase!

— Quoi? demanda Frances.

— Quelqu'un a frappé Patsy!

— Qui?

— Je ne sais pas!

— En es-tu certain?

— Bien sûr que j'en suis certain. Il y a l'empreinte d'une grosse main sur le côté de son visage.

L'après-midi même, une réunion d'urgence de la Société secrète de l'Ordre mystique des Polka dots fut convoquée pour discuter de la suite des choses. Après de longs débats, Betty Kitchen admit que Roy avait sans doute raison.

— Nous ne pouvons sans doute rien faire sans fâcher ces gens au fond des bois. Vous savez tous comment ils sont, dit-elle.

— De la racaille de bohémiens, dit Mildred.

— Voyons, Mildred, ce n'est pas une remarque très chrétienne, dit Frances.

— Peut-être pas, répondit Mildred, mais c'est la vérité.

Butch admirait son habileté à trouver les bons mots. Frances revint au sujet principal.

— Bon, je pense que nous nous entendons pour dire qu'il s'agit d'un dossier Polka dots et que nous pourrions au moins offrir de lui acheter des vêtements convenables. Nous voici en plein cœur de l'hiver, et la pauvre petite se promène sans manteau et sans chaussures.

— Combien d'argent avons-nous dans notre fonds Sunshine? demanda Betty.

Frances se dirigea vers sa collection de saucières, souleva le couvercle de la troisième à partir de la gauche et en sortit quatre-vingt-deux dollars. La proposition de dépenser le tout pour Patsy fut acceptée à l'unanimité.

— La question suivante, c'est de savoir qui va aller demander à ces gens s'ils nous autorisent à intervenir, dit Betty.

— Pourquoi ne pas l'amener tout simplement à Mobile et lui acheter des choses nous-mêmes? Pourquoi demander? dit Mildred.

Frances la regarda.

— Nous ne pouvons pas tout simplement l'amener, Mildred. Ils pourraient nous faire arrêter pour kidnapping. Nous ne voulons tout de même pas nous retrouver en prison.

— Oui, mais si on se rend là où ils habitent, ils peuvent tout aussi bien lâcher leurs chiens, prévint Dottie. Ou sortir leurs fusils.

— Eh bien, c'est un jeu qui se joue à deux, dit Butch en tapotant le baudrier avec un revolver qu'il portait sous sa chemise. Ils ne sont pas les seuls par ici à avoir des armes, vous savez.

— Oh! mon Dieu! s'exclama Frances. On n'a certainement pas besoin d'en arriver à des échanges de coups de feu.

— Pourquoi ne pas y aller en groupe? demanda Mildred.

Frances hocha la tête.

— Non, cela pourrait paraître trop menaçant. Je pense qu'un d'entre nous devrait leur faire une petite visite de bon voisinage. Qui veut y aller?

Butch leva la main.

— Non, pas toi, Butch, ce doit être une femme, dit Mildred.

— Alors, je vais y aller, dit Betty Kitchen. Je n'ai pas peur d'eux. S'ils se moquent de moi, ils le regretteront le reste de leurs jours.

Dottie, qui savait que Betty n'était pas précisément un modèle de subtilité, dit rapidement :

— Je crois que tu devrais y aller, Frances. Tu es la plus aimable et celle qui risque le moins de se faire mettre dehors.

Le dimanche suivant, Frances gara sa voiture devant le magasin et suivit le sentier en sable blanc, avec ses talons hauts, son sac à main à un bras et un gros panier de bienvenue à l'autre, en espérant survivre à cette journée. Au cours des ans, toutes sortes de gens s'étaient installés là-bas, au fond des bois, et son mari lui avait toujours dit qu'il valait mieux ne pas s'en occuper. Certains, qui se cachaient de la police, n'étaient pas très accueillants pour les étrangers. Ils restaient habituellement un certain temps, laissaient des ordures partout, puis repartaient. Quelques années plus tôt, l'équipe du shérif en avait même arrêté certains, alors elle ne savait vraiment pas ce qui l'attendait ce jour-là. Un peu plus tard, elle entendit soudain un violent craquement, qui la fit presque mourir de peur. Elle crut qu'on lui avait tiré dessus. En se retournant, elle vit Butch, qui l'avait suivie à la course, en se cachant dans le bois, et qui venait d'écraser une branche.

— Oh ! mon Dieu, Butch, que fais-tu là ? Tu as failli me faire mourir de peur !

Toujours à la course, il se cacha derrière un arbre.

— Ne t'occupe pas de moi, continue, chuchota-t-il. Je suis là seulement au cas où tu aurais besoin de moi.

Oh ! mon Dieu, songea-t-elle. Butch avait manifestement vu trop de films. Elle poursuivit sa route jusqu'à une clairière où elle aperçut une roulotte déglinguée, posée sur des blocs de ciment. Dans la cour, un vieux réfrigérateur rouillé gisait sur le côté, parmi un assortiment de pneus usés et de pièces de motocyclettes et de voitures. Quand elle s'approcha, un chien bâtard de style bull-terrier se précipita vers elle, en aboyant furieusement, les crocs bien en évidence, au bout de sa chaîne. Frances s'arrêta net. Aussitôt, une femme d'environ un mètre cinquante, en débardeur et short, ouvrit la porte, et cria au chien de se taire, avant d'avoir vu Frances.

— Bonjour, dit celle-ci, en s'efforçant de prendre un air dégagé. J'espère que je ne vous dérange pas. Je suis Frances Cleverdon et je me demandais si je pourrais vous parler un moment.

La femme la regardait fixement.

— Si vous travaillez pour les impôts, ça sert à rien. Mon mari est pas ici.

— Oh ! non, dit Frances dans un effort pour la rassurer. Je suis juste une voisine qui est venue pour bavarder et vous apporter un petit cadeau.

La femme dirigea son regard vers le panier.

— Voulez-vous entrer ?

— Oui, merci.

Frances monta les marches en ciment pendant que le chien sautait au bout de sa chaîne, de l'écume à la gueule. L'endroit était en pagaille. Elle remarqua les boîtes de bière vides sur le comptoir et une boîte de beignets rassis.

La femme s'assit et croisa ses énormes jambes blanches. Elle avait un serpent tatoué autour de ses non moins énormes chevilles. Frances déplaça quelques objets pour dégager une place où s'asseoir.

— Excusez-moi, je ne connais pas votre nom, dit-elle.

— Tammie Suggs.

— Eh bien, madame Suggs, pour dire vrai, je suis surtout venue ici pour parler de votre petite fille.

La femme plissa les yeux.

— À quel sujet, qu'est-ce qu'elle a fait? Patsy! cria-t-elle, viens ici!

— Non, ce n'est pas ça, elle n'a rien fait...

Patsy sortit du fond de la roulotte, l'air effrayé.

— Non, il ne s'agit de rien de tel, madame Suggs. Bonjour, Patsy, dit Frances en souriant. J'espérais que nous pourrions nous parler seule à seule, ajouta-t-elle en se penchant.

La femme se retourna.

— Sors d'ici, dit-elle à Patsy.

Frances attendit le départ de la fillette.

— Madame Suggs, c'est seulement que je... eh bien, un groupe d'amis, en fait – nous aimons beaucoup Patsy et nous nous demandions si vous lui aviez fait voir un médecin récemment.

— Pourquoi?

— Pour sa condition – sa jambe.

— Oh! ouais. C'est pas drôle de la voir la traîner. Mais elle était déjà comme ça quand son papa l'a laissée ici. Elle est même pas mon enfant. On l'a juste laissée à ma charge. J'ai même pas d'argent pour des docteurs pour mes propres enfants, encore moins pour elle. Après que son papa est parti, je suis restée prise avec elle et en plus mon vieux m'a quittée, et moi et les enfants on est en train de mourir de faim.

Tammie Suggs semblait bien loin de mourir de faim, mais Frances se retint de tout commentaire.

— Savez-vous pourquoi elle marche ainsi ? Est-ce à cause d'un accident quelconque ?

Tammie Suggs hocha la tête.

— Non, il m'a dit que c'est arrivé quand elle est née. Sa mère était du genre très délicat et elle a eu un accouchement difficile, alors le docteur a tiré la petite de là avec des forceps, et ça l'a laissée toute tordue comme ça.

— Oh, non !

— Ouais. Et la mère est morte quand même.

— Je vois. Son père a-t-il dit s'il était possible de faire quelque chose, peut-être des chaussures spéciales ? demanda Frances en tentant une allusion subtile.

Tammie hocha la tête et gratta son énorme bras.

— Non, son papa a dit qu'elle sera toujours comme ça. Que ça sert à rien de lui donner des souliers, qu'elle fait juste les massacrer, à traîner son pied comme ça.

— Et où est son père maintenant ? demanda Frances en s'efforçant de rester aimable.

— Je sais pas, mais il est mieux de s'ramener vite, parce que j'en ai ras le bol de m'occuper d'elle.

Frances ne put s'empêcher de se crisper un peu en entendant cette dernière phrase.

— Écoutez, m'dame, répliqua Tammie qui avait vu sa mimique, je fais le mieux que je peux. Essayez d'élever trois enfants sans homme.

— Oh ! je suis certaine que c'est très difficile, mais nous pourrions vous aider à acheter quelques petites choses pour Patsy, peut-être des jouets ou des vêtements ?

Tammie prit le temps de réfléchir.

— Voyez-vous, moi et les garçons, on a aussi besoin de choses.

Comprenant qu'il n'y avait rien à faire et qu'elle ne réussirait pas à lui faire entendre raison, Frances posa l'enveloppe contenant l'argent sur la table et partit. Une fois à l'extérieur, elle éprouva un tel dégoût pour la femme qu'elle se sentit désemparée. Elle passa à côté du chien, qui sautait encore comme un fou, tentant de briser sa chaîne pour la manger vivante. Frances, habituellement une vraie lady, se retourna vers lui dans un élan de colère tout à fait inhabituel.

— Oh! ferme ta gueule, toi! lui cria-t-elle.

Butch la rejoignit vers le milieu du trajet jusqu'à sa voiture.

— Quel genre d'homme peut être capable d'abandonner sa fille avec cette horrible femme? lui dit-elle, elle qui n'avait jamais pu avoir d'enfant. On en vient à se demander à quoi pense le bon Dieu quand il donne des enfants à ce genre de personnes.

Au cours de la semaine suivante, tout le monde observa Patsy pour voir si elle arriverait avec des chaussures ou un autre vêtement que sa vieille robe. En vain.

Patsy n'avait peut-être pas de nouveaux vêtements, mais Frances tenait absolument à s'assurer que la fillette mangeait au moins un bon repas par jour. À midi, sans faute, elle se rendait au magasin avec un déjeuner chaud et s'asseyait avec Patsy pendant qu'elle mangeait. Au début, la petite fille était gênée et avait peur de manger, mais Frances, qui avait déjà été maîtresse d'école, finit par la convaincre qu'il n'y avait pas de problème et, bientôt, elle réussit à la faire parler davantage.

— Tu sais, dit-elle à Roy un jour en partant, c'est une fillette absolument adorable. Je dois faire un effort pour ne pas la prendre dans mes bras et la serrer de toutes mes forces. Peux-tu imaginer un père qui abandonne une enfant comme elle ?

Roy hocha la tête.

— Non, je ne peux pas. Tu sais, Frances, ajouta-t-il d'un ton triste, il y a beaucoup de gens qui mériteraient la chaise électrique.

Longtemps auparavant, Roy aurait tiré sur Julian LaPonde s'il n'avait pas été le père de Marie et si sa mère ne l'avait pas supplié de n'en rien faire. Il n'avait toujours pas oublié Marie et il se rappelait encore comment elle était ce soir-là, la dernière fois qu'il l'avait vue.

Il ne cessait de se demander comment elle allait. Il aurait pu le savoir de la mère de Marie, qui l'aimait bien, ou en allant voir le prêtre catholique en cachette, mais il lui aurait été pénible d'apprendre qu'elle l'avait oublié et aussi pénible d'apprendre le contraire. Dans la dernière lettre qu'elle lui avait envoyée, elle avait écrit que, s'il l'aimait, il lui pardonnerait, trouverait quelqu'un d'autre et mènerait une vie heureuse. Il l'aimait, vraiment, mais comment mener une vie heureuse sans elle ? Il n'y était jamais arrivé.

Roy et Mildred avaient beaucoup en commun. Mildred, même si elle n'était plus aussi jeune, avait encore une belle silhouette, de petites hanches et de gros seins fermes. Des années auparavant, elle aurait pu séduire n'importe quel gars de Chattanooga, mais elle s'était plutôt jetée à la tête de Billy Jenkins. Pourquoi elle l'avait choisi, parmi tous les garçons qui faisaient la queue devant sa porte, Frances ne l'avait jamais compris. Il ne lui arrivait pas à la cheville. Un garnement bon à rien qui venait du mauvais côté de la voie ferrée, comme l'avait dit leur père. Mais, à l'époque, rien n'avait pu convaincre Mildred de renoncer à celui que tous les membres de sa famille rejetaient. Frances soupçonnait que, s'ils l'avaient aimé, Mildred n'aurait pas voulu l'épouser. On aurait dit qu'elle avait fait exprès pour trouver le seul garçon inacceptable en ville et pour lui courir après. Cela avait causé un scandale et avait coûté une petite fortune à leur père. Les robes des demoiselles d'honneur avaient été achetées et ajustées, le club sportif réservé, la nourriture commandée et les invitations envoyées. Une semaine avant le mariage, le marié s'était enfui de la ville à moto-cyclette en laissant une note : « Je m'excuse, je pense que je n'étais pas prêt. Amitiés, Billy. » Le cœur brisé, Mildred était restée inconsolable pendant des années. Mais Frances se demandait si c'était vraiment par amour ou parce que Mildred avait toujours voulu l'inaccessible. Mildred avait ensuite eu quelques amitiés masculines, mais elle n'avait plus jamais aimé aucun homme. Personne ne pouvait valoir celui qui était parti.

Le réveil

À la mi-mars, le printemps arriva à Lost River. Les nuits devinrent lentement plus douces et, chaque soir au coucher du soleil, les rougets sautaient dans la rivière, comme s'ils appréciaient eux aussi l'arrivée du printemps. Bientôt, toutes les fleurs qu'Oswald n'avait pu voir à son arrivée commencèrent à s'épanouir. Presque du jour au lendemain, l'air se remplit du parfum des gardénias, des azalées, des glycines, des jasmins et des chèvrefeuilles. C'était peut-être son dernier printemps sur terre, songea Oswald, mais c'était certainement le plus spectaculaire qu'il ait jamais vu.

Quelques semaines plus tard, par une soirée tiède où Oswald marchait dans la rue, il vit des lucioles entrer en volant dans les bosquets et en ressortir. Le vent agitait la mousse espagnole dans les arbres, formant des ombres sur la route. En arrivant au bord de la rivière, Oswald eut soudain l'impression de circuler dans une peinture. Il se rendit compte alors que, partout où il regardait, c'était comme un tableau ! Tout était rempli de couleur : l'eau, le ciel, les hangars à bateaux qui bordaient la rivière, avec leurs toits rouges, argentés et parfois rouillés. Un bateau rouge dans un hangar jaune. Les poteaux de bois qui sortaient de l'eau avaient mille teintes de gris et chacun était incrusté de centaines de bernicles d'un blanc de craie et percé de trous de pics noirs. Même le grain et les nœuds du bois différaient d'un poteau à l'autre. Les couleurs vibrantes qui entouraient Oswald changeaient de saison en saison et aussi de minute en minute. Bon Dieu, songea-t-il à cet instant, si je pouvais seulement peindre toutes ces belles choses ! Même en vivant un millier d'années, il ne serait jamais à court de sujets de tableaux. Des oiseaux, des arbres, des canards, des fleurs. Quand Oswald avait été réformé, il s'était inscrit à un cours d'architecture, mais il ne l'avait jamais terminé. Il n'avait évidemment jamais peint quoi que ce soit de sa vie. Mais, plus jeune, avant de devenir un buveur professionnel, il s'était senti attiré par les annonces de cours de peinture dans les magazines. Une fois, il était même allé jusqu'à envoyer un dessin et on lui avait répondu, en termes chaleureux, qu'il avait du talent et qu'il devrait s'inscrire à une série de cours donnés par des artistes célèbres. Mais Helen l'avait découragé. Selon elle, c'était seulement une arnaque. Ils affirmaient à tout le monde qu'ils avaient du talent juste pour leur faire acheter des cours – il avait donc abandonné l'idée. Mais il se demandait maintenant s'ils n'avaient pas eu raison. Peut-être avait-il du talent. Il pourrait faire quelques essais par lui-même ; après tout, il n'avait rien à perdre.

Le lendemain, il commença par dessiner à la plume les silhouettes noires des oiseaux et des arbres sur l'envers de vieux sacs en papier. Une semaine ou deux plus tard, il avait réalisé une dizaine de dessins qu'il ne trouvait pas trop mauvais. Il en nomma même un *Le Canard solitaire* et le signa O. T. Campbell. Quelque temps après, il se rendit au magasin et fouilla dans l'étagère où Roy gardait les fournitures scolaires; il choisit une longue boîte noire de couleurs à l'eau et demanda à Roy combien il lui devait.

— Un dollar, répondit-il.

— D'accord.

Il sortit un billet et partit. Roy crut qu'il avait acheté la peinture à l'eau pour Patsy, mais il se trompait. Oswald se sentait un peu ridicule de tremper son pinceau dans des godets en forme d'étoiles et de demi-lunes, mais il devait commencer quelque part et s'exercer le plus possible.

LE LONG DE LA RIVIÈRE
Bulletin d'informations
de l'Association communautaire de Lost River

Voilà! c'est officiel. Le printemps est arrivé et, comme le barde Browning l'a déjà écrit, « Oh! être en Angleterre maintenant qu'avril est là». Mais avec toutes les superbes fleurs débordant de couleurs que nous avons, je dirais que je préfère de beaucoup être à Lost River. Avez-vous jamais vu un plus beau printemps? Et, bien sûr, le temps approche où le lapin de Pâques se prépare à venir nous rendre visite en sautillant. Vous tous, garçons et filles, n'oubliez pas de participer à la grande chasse aux œufs de Pâques qui aura lieu à la salle communautaire. Un gros merci à monsieur Oswald T. Campbell qui s'est porté volontaire pour aider à teindre les œufs de Pâques cette année.

Dottie Nivens

Une visite

Pendant que mademoiselle Alma faisait la sieste et qu'Oswald était au bord de la rivière, Betty Kitchen en profita pour aller prendre un café chez sa voisine, Frances. Quand elles eurent fini de parler des affaires des Polka dots, elle dit :

— Tu sais, Frances, il va falloir que nous soyons tous particulièrement gentils avec monsieur Campbell.

— Pourquoi ?

— Hier soir, je lui ai demandé s'il avait de la famille et il m'a répondu que non, qu'il était orphelin et qu'il devait son nom à une boîte de soupe. Il m'a dit qu'il n'avait à sa connaissance aucun parent vivant.

Frances était consternée.

— Oh ! pauvre monsieur Campbell, et il ne m'en a jamais parlé. Betty, peux-tu imaginer une situation pire que celle d'un orphelin ?

Betty réfléchit un instant,

— Si tu veux savoir, dit-elle, je n'aurais pas d'objection à devenir orpheline, au moins pour un jour ou deux. Maman est en train de me rendre folle. Quand je suis entrée dans la cuisine, ce matin, elle avait vidé trois boîtes de farine d'avoine et deux bouteilles de sirop Log Cabin sur le plancher. Imagine le dégât à nettoyer !

— Qu'est-ce qui lui a pris de faire ça?

Betty haussa les épaules.

— Qui peut savoir pourquoi elle fait tout ce qu'elle fait? Hier, pour se cacher d'Esquimaux qu'elle voyait voler dans le jardin, elle s'est enfermée au grenier. Le pauvre Butch a dû venir en plein milieu de la nuit pour briser le verrou et la faire sortir de là. Elle est plus difficile à suivre que toute une portée de chatons.

Après le départ de Betty, Frances songea à l'infortuné monsieur Campbell. Même avec sa sœur Mildred et de nombreux parents, elle connaissait aussi la solitude. Monsieur Campbell méritait de trouver une âme sœur, même s'il se faisait tard dans sa vie. Il y a toujours de l'espoir et, maintenant qu'il avait pris quelques kilos, il était presque bel homme. Elle n'avait jamais compris pourquoi Mildred avait perdu tant de temps à pleurer Billy Jenkins qui l'avait abandonnée pour ainsi dire au pied de l'autel. Frances était certaine que monsieur Campbell aimait bien Mildred. Sinon, pourquoi aurait-il ri à ses horribles plaisanteries?

Comme elle finissait de laver la vaisselle, elle entendit quelqu'un frapper à la porte et elle se demanda qui c'était. Elle s'essuya les mains et alla ouvrir pour se retrouver face à face avec Tammie Suggs, qui avait l'air de mauvaise humeur. Mon Dieu, pensa Frances, je vais peut-être avoir des ennuis. Elle avait acheté une paire de gants à Patsy en cachette. Elle fit quand même son plus beau sourire.

— Bonjour! madame Suggs, je suis si heureuse de vous voir. Voulez-vous entrer?

En regardant vers la rue, Frances vit un camion brun, tout cabossé, garé devant sa maison, un homme aux cheveux longs au volant. Tammie se dirigea tout droit vers la salle de séjour et se laissa tomber dans le meilleur fauteuil.

— Je suis venue vous voir parce que mon mari est revenu hier et qu'on se prépare à partir pour l'Arkansas demain matin.

Frances sentit son cœur se serrer. Évidemment, elle savait que ce jour viendrait, mais elle avait espéré avoir l'occasion de garder Patsy un peu plus longtemps.

— Je suis désolée d'apprendre cela, madame Suggs. Je suis certaine que Patsy va nous manquer à tous.

— Voilà l'affaire, dit Tammie. Je sais que vous vous êtes intéressée à elle et tout ça, et mon mari veut plus en entendre parler, alors je me demandais si vous connaissez quelqu'un pour en prendre soin quelque temps.

Frances n'était absolument pas préparée à recevoir une telle demande, pourtant elle répondit à Tammie sans hésiter, en la regardant droit dans les yeux.

— Je connais quelqu'un, madame Suggs. Moi. J'aimerais beaucoup garder cette petite fille.

— Alors, c'est parfait, dit Tammie, vous pouvez l'avoir cet après-midi, si vous voulez.

Elle était prête à donner l'enfant sans plus d'inquiétude que s'il s'était agi d'un vieux tricot.

Après le départ de Tammie et de son mari, Frances se sentit transportée de joie. Pendant des années, elle avait prié pour avoir un enfant et, chaque Noël, elle rêvait en secret d'avoir une petite fille à elle qui irait chercher un cadeau des mains du père Noël. Quand son mari était mort, elle avait abandonné tout espoir. Mais ses prières venaient d'être exaucées. Elle était si reconnaissante qu'elle remercia le bon Dieu d'avoir envoyé Tammie chez elle et elle se demanda pourquoi elle avait douté de Lui. Elle monta l'escalier à la course pour préparer la chambre de Patsy et pour penser à tout ce qu'elle allait lui acheter. Une centaine de paires de chaussures. Et, s'il n'en tenait qu'à elle, Patsy pourrait toutes les endommager.

Frances appela toutes ses connaissances pour leur apprendre la bonne nouvelle. Tous furent enchantés et soulagés de savoir que Patsy aurait enfin un bon foyer. Plus tard, quand Frances eut fini de préparer la chambre, elle se rendit au magasin et expliqua à l'enfant qu'elle vivrait chez elle à partir de maintenant. Patsy, qui avait déjà été laissée dans tellement de maisons pendant sa courte vie et était toujours allée là où on le lui demandait, dit qu'elle était d'accord. Elle dit au revoir à Jack et lui promit de venir le voir le lendemain matin. Ce même après-midi, en voyant Frances rentrer chez elle, la main de la fillette dans la sienne, les gens sortirent sur leur perron et les saluèrent chaleureusement.

— Bonjour ! mademoiselle Patsy, nous sommes tous tellement heureux de savoir que vous allez rester avec nous ! lança Dottie avec beaucoup de panache.

Cela devint bientôt une scène familière. Frances escortait la petite fille avec sa casquette Dr Pepper jusqu'au magasin tous les matins et la ramenait à la maison tous les après-midi.

Avec toute l'agitation qui avait accompagné l'arrivée de Patsy, il fallut quelques jours à Frances pour se rendre compte que Tammie Suggs était partie sans lui donner sa nouvelle adresse. Pire encore, elle s'aperçut qu'elle n'avait aucune idée du nom de famille de l'enfant. Mais ce n'était pas très grave. Elle habitait maintenant chez elle, et c'était tout ce qui importait. Avec Mildred, elle amena Patsy à Mobile où elle lui acheta des chaussures, des chaussettes, des sous-vêtements, des robes, des manteaux et des tricots. Elles essayèrent de lui offrir quelques jolis chapeaux, mais Patsy ne voulait rien d'autre que la casquette Dr Pepper que monsieur Campbell lui avait offerte. Elle la portait en tout temps. Même quand Frances lui lavait les cheveux et les coiffait pour qu'ils soient lisses et brillants, elle remettait aussitôt sa casquette. Le premier dimanche, après que Frances lui eut fait enfiler une robe blanche à volants, elle remit sa casquette. Comme Frances n'avait pas eu le cœur de la lui faire enlever, elle la porta à l'église. Si Frances le lui avait permis, elle l'aurait gardée pour dormir.

Les premiers jours, Frances craignait que Patsy soit bouleversée de vivre avec une parfaite étrangère, mais si Tammie Suggs ou son père lui manquaient, elle n'en disait rien. Elle ne se plaignait vraiment de rien. Elle était fondamentalement une enfant timide et tranquille qui semblait parfaitement heureuse de faire ce qu'on lui demandait. Même si elle ignorait l'âge de Patsy, Frances estima qu'elle devait avoir près de six ans et fit le projet de l'inscrire en première année à l'automne. Mais avant cela, elle voulut lui enseigner quelques connaissances de base pour mettre toutes les chances de son côté. Même si décembre n'était que dans huit mois, elle tenait à s'assurer que Patsy serait capable d'écrire une lettre au père

Noël pour aller ensuite chercher son cadeau, comme tous les autres enfants.

Chaque après-midi, après la fermeture du magasin, la fillette rentrait à la maison et prenait ses leçons. Un jour, Mildred passa à ce moment-là et demanda comment Patsy s'en tirait. Frances la regarda d'un air rempli de fierté.

— Oh! Mildred, elle est si intelligente, elle sait déjà écrire son nom et elle lit avec enthousiasme. Pour ce qu'on en sait, elle deviendra peut-être un génie! s'exclama-t-elle.

Même si Mildred était sincèrement heureuse pour sa sœur, elle était aussi inquiète.

— Écoute, Frances, ne t'attache pas trop à cette enfant, tu te prépares à avoir le cœur brisé quand son père viendra la reprendre. Ce n'est pas comme si tu pouvais la garder pour toujours.

— Je sais, dit Frances. Je sais bien que je ne vais la garder que peu de temps.

— Eh bien, tant mieux si tu es sûre de comprendre, dit Mildred. Je ne veux pas que tu t'attaches trop et que tu oublies qu'elle appartient à quelqu'un d'autre.

Mais les avertissements de sa sœur venaient trop tard. Frances s'était déjà attachée. En secret, elle espérait que la fillette ne doive jamais partir.

Quand Oswald n'allait pas voir Patsy au magasin ou au bord de la rivière, il travaillait à ses esquisses sur la galerie arrière de la maison des Kitchen. Un après-midi pluvieux où il y était, Betty sortit chercher quelque chose dans le réfrigérateur supplémentaire qui s'y trouvait. Elle jeta un coup d'œil à son dernier tableau.

— On dirait un vrai geai bleu ! s'exclama-t-elle. Je déteste les geais bleus, ajouta-t-elle avant de rentrer dans la cuisine.

Mais Oswald fut très encouragé. Pas que Betty déteste les geais bleus, mais qu'elle ait reconnu ce qu'il avait dessiné. Quand il avait commencé, tous ses oiseaux se ressemblaient. Il devait s'améliorer.

Oswald dépensait maintenant presque tout l'argent de ses cigarettes en matériel d'artiste, mais ça lui était égal. De toute façon, il fumait moins.

Quelques jours plus tard, Oswald demanda à Claude Underwood, qui allait à la pêche tous les matins à six heures, s'il voulait l'amener dans les marais. Il souhaitait voir les grands balbuzards et leurs nids qu'on lui avait dit s'y trouver. Il y avait un dessin les représentant dans son livre sur les oiseaux, mais jusqu'à maintenant il n'en avait pas vu un seul.

— Bien sûr, dit Claude, heureux de lui rendre service. Je peux vous y mener directement et vous y laisser pendant une ou deux heures si vous voulez.

Claude avait déjà vu certains de ses dessins et il était heureux qu'Oswald ait trouvé une activité qui semblait lui plaire. Il avait remarqué qu'Oswald recevait maintenant beaucoup de courrier de l'Association ornithologique d'Alabama et de la Société Audubon.

Le lendemain matin, à cinq heures trente, Oswald se rendit chez Claude. Il vit de la lumière dans la cuisine et frappa délicatement. La femme de Claude, Sybil, ouvrit la porte et l'accueillit avec un grand sourire.

— Entrez, monsieur Campbell, et buvez une tasse de café. Claude est en train de préparer le bateau.

Oswald entra dans une grande pièce, aux murs en pin et avec un foyer en briques devant lequel se trouvait un tapis rond dans les tons de beige et de brun. Le canapé, le fauteuil et les draperies étaient tous dans le même tissu brun à carreaux. Au-dessus du foyer trônait une reproduction de la Dernière Cène. À l'autre bout de la pièce se trouvait une table à manger ronde, en érable couleur de miel, avec un plateau tournant et des chaises. Tout était propre et ordonné. On aurait dit que rien n'y avait changé depuis la première fois où elle avait été décorée, ce qui, selon le genre du papier peint avec des pommes de pin dans la cuisine, devait remonter aux années quarante, estima Oswald. En s'asseyant, il songea « un endroit où même le temps s'arrête ». Il se fit servir une tasse de café ct unc brioche à la cannelle maison par Sybil, qui semblait elle-même sortir des années quarante. Elle portait un tablier blanc à volant sur sa robe d'intérieur et était toujours coiffée avec de petites boucles serrées que seules les pinces à cheveux démodées peuvent former.

— Claude m'a dit que vous allez au bout de la rivière, observer certains oiseaux pour votre art.

Il éclata de rire.

— Madame Underwood, je ne sais pas si on peut parler d'art, mais je vais effectivement essayer de faire quelques croquis.

Sybil lui versa une autre tasse de café.

— Je trouve cela très excitant, dit-elle. Claude pense que vous êtes un merveilleux artiste. Qui sait, monsieur Campbell, peut-être vos toiles se retrouveront-elles un jour dans un musée et nous rendront-elles tous célèbres.

Claude entra par la porte avant.

— Bonjour! dit-il. Nous pouvons partir dès que vous serez prêt.

— Je suis prêt, dit Oswald en prenant son bloc à croquis.

Sybil tendit à chacun un petit sac en papier.

Monsieur Campbell regarda le sien.

— Qu'est-ce?

— Votre goûter, dit-elle. Vous ne pensez tout de même pas que je vais vous laisser partir sans rien à manger, les garçons, n'est-ce pas?

Il y avait des années qu'Oswald ne s'était pas fait traiter de garçon, et cela lui plut.

— Votre femme est vraiment gentille, dit-il pendant qu'ils se dirigeaient vers la rivière. Depuis combien de temps êtes-vous mariés?

— Ça fera quarante et un ans en juillet.

Puis Claude, qui parlait généralement peu, lui fit une déclaration étonnante.

— Et ça ne me gêne pas de vous avouer qu'il n'y a pas eu un jour, durant toutes ces années, où je n'ai pas remercié le bon Dieu de me l'avoir donnée.

Quand ils partirent sur la rivière, une brume matinale la recouvrait encore. Environ une heure plus tard, elle se leva, et le soleil apparut au-dessus des marais qui s'étendaient maintenant devant eux. Claude pointa le doigt vers de grands arbres gris qui portaient des nids à leur cime.

— Les voilà.

Comme ils approchaient de la rive, un gros oiseau ressemblant à un faucon s'envola et, en battant doucement des ailes, atteignit un autre arbre où il se percha en les regardant.

— Si vous avez de la chance, vous allez voir toutes sortes de hiboux, de faucons et de grues, ils habitent tous dans ces marais.

Claude s'approcha d'un quai avec un banc en bois et le fit débarquer.

— Je viendrai vous reprendre dans quelques heures.

Claude s'éloigna et disparut à un tournant de la rivière. Le bruit de son moteur s'évanouit. Oswald se sentit vraiment au milieu de nulle part. Après un certain temps dans les marais, avec seulement le bruit occasionnel d'un battement d'ailes ou un hululement de hibou au loin, Oswald perdit peu à peu le sens du temps et de l'espace. Toutes ses années de catéchisme et d'alcoolisme n'y étaient pas arrivées, mais à présent, assis dans le calme, loin du tourbillon de la vie en société et des bruits de la ville, il se sentit en communion avec la nature. Pour la première fois de sa vie, il éprouvait un sentiment de paix. Il avait enfin un aperçu de ce dont on lui avait tant parlé.

Vers dix heures, il commença à avoir faim. Il ouvrit son sac et regarda à l'intérieur. Sybil lui avait préparé un vrai goûter de pêcheur : une boîte de craquelins salés, des viandes en conserve, de minuscules saucisses viennoises et plusieurs sachets de moutarde. Il dévora le tout avec délice. Une heure plus tard, Claude vint le reprendre.

— Avez-vous eu de la chance ? demanda-t-il quand Oswald se retrouva dans le bateau.

— Oh! oui, j'ai dû voir une centaine d'oiseaux. Et vous?

— Un peu, répondit Claude en prenant la direction de la maison.

Oswald apprit plus tard que, pour Claude, un peu de chance voulait dire qu'il avait attrapé plus de poissons et des plus gros que n'importe qui d'autre sur la rivière, pas seulement ce jour-là, mais de toute la semaine. Il avait vraiment un don pour la pêche. Il connaissait les courants et savait les interpréter, ainsi que l'influence du vent sur les poissons et la profondeur à laquelle ils se tenaient selon la période de l'année. Mais il était modeste.

— Je pêche souvent et plus longtemps que d'autres, je suppose, répondait-il quand on lui demandait le secret de son succès.

Le seul moment de la semaine où il ne pêchait pas était le samedi après-midi, quand tout le monde à Lost River écoutait l'opéra du samedi à la radio et qu'on pouvait l'entendre tout le long de la rivière. Claude disait qu'il ne servait à rien d'essayer alors parce que tous ces Italiens qui criaient faisaient tellement peur aux poissons qu'ils ne mordraient pas de toute façon.

Quand Oswald avait appris que Claude Underwood allait à la pêche tous les jours de sa vie, il s'était demandé comment quelqu'un pouvait avoir une telle obsession pour une seule activité. Mais depuis qu'il avait commencé à peindre, il comprenait parfaitement. De son côté, il avait une bonne raison de peindre tous les jours, le plus longtemps possible. Il espérait devenir assez habile pour peindre le tableau qu'il avait en tête et le finir pour Noël. Donc, pendant que Claude pêchait, Oswald peignait, et la rivière était toujours aussi calme et accueillante.

❖

À la réunion suivante de la Société secrète de l'Ordre mystique des Polka dots, on tint l'élection annuelle des administrateurs. Comme d'habitude, on renouvela le mandat de Frances comme présidente, celui de Sybil Underwood comme vice-présidente, celui de Mildred comme trésorière et celui de Dottie Nivens comme secrétaire. Betty Kitchen ne se présentait jamais aux élections. À cause de sa taille imposante et de son passé militaire, on l'avait nommée huissière, à perpétuité.

Quand les élections furent terminées, Mildred commença à rechigner.

— Je me demande bien pourquoi on prend la peine de faire cette idiotie. On élit toujours les mêmes personnes.

Par un vote à main levée, on décida que les élections se tiendraient désormais aux deux ans. À cette même réunion, avant de terminer leurs discussions, elles votèrent aussi pour rendre la politesse aux membres de l'Ordre mystique du Gruyère royal et les inviter à déjeuner à leur tour. Même s'il s'agissait de deux organisations sœurs et si elles réalisaient souvent des projets ensemble, il régnait aussi entre elles une rivalité amicale. Il fallut donc faire des plans élaborés. Quand elles avaient été les invitées des membres du Gruyère royal, à Lillian, on leur avait servi une salade de poulet à l'ananas avec du gâteau aux dattes et aux noix et du fromage blanc. Les Polka dots décidèrent de préparer un aspic à la tomate, trois pains différents et des îles flottantes pour dessert. Personne ne faisait de meilleures îles flottantes que Sybil. De plus, elles fabriqueraient des napperons en tissu à pois qu'elles mettraient à chaque place.

— Ça devrait les impressionner, déclara Betty Kitchen.

Une apparition

Quelques semaines plus tard, alors que Claude l'avait conduit de nouveau dans les marais, Oswald eut une grande frousse. Plongé dans son travail, il n'avait rien entendu venir, mais quand il leva les yeux, il vit un bateau arrêté à moins de deux mètres de lui. L'homme au teint foncé qui y était assis le fixait d'un regard qui lui glaça le sang. Après un long moment, l'étranger se remit lentement à pagayer, sans avoir dit un mot. Au retour de Claude, Oswald lui décrivit l'homme aux yeux bleu-vert et aux cheveux gris argent et lui demanda s'il savait de qui il s'agissait.

Claude lui demanda s'il avait un filet à l'arrière de son bateau.

Oswald lui répondit affirmativement.

Claude fit un signe de tête.

— J'ai une bonne idée de qui c'était, pour sûr.

— Qui?

— Je ne peux en être certain, mais je pense que vous avez dû voir Julian LaPonde de près.

— Le Créole?

— On dirait bien.

— Il n'avait pas l'air trop amical, je peux vous le dire.

— J'imagine que non.

— Je n'ai rien dit.

— C'est mieux ainsi. Avec lui, on ne sait jamais à quoi s'attendre.

— S'il revient, que devrais-je faire?

— Il ne reviendra pas... croyez-moi. Il ne veut rien avoir à faire avec aucun d'entre nous. S'il pouvait transporter son côté de la rivière en Louisiane, il le ferait.

Claude avait raison. Oswald ne revit pas Julian.

Avec l'arrivée des journées plus chaudes, Patsy accompagnait parfois Claude et Oswald dans les marais. Elle restait assise pendant des heures à côté d'Oswald, pendant qu'il peignait. Un jour, il se tourna vers elle et lui demanda:

— Hé! Patsy, que vas-tu faire quand tu seras grande, le sais-tu déjà?

Elle réfléchit un moment.

— Euh... peut-être une... je sais pas.

— Voyons, y a-t-il des choses que tu aimes faire?

— J'aime jouer avec Jack. J'aime les oiseaux.

— Alors, tu pourrais devenir vétérinaire. Sais-tu ce que c'est?

— Non, monsieur.

— C'est un médecin qui prend soin des animaux et des oiseaux. Est-ce que ça te plairait?

— Oui, beaucoup. Est-ce que je pourrais être un vrai docteur?

— Bien sûr. Si tu le veux vraiment, tu peux.

— Vraiment? Est-ce que Jack pourrait venir me voir?

— Certainement.

Son regard s'illumina.

— Si j'étais un docteur, je pourrais sans doute réparer son aile pour qu'il vole si bien que les faucons et les hiboux ne pourraient pas l'attraper et le manger.

— Peut-être.

Oswald tendit alors à Patsy un petit portrait qu'il avait fait d'elle, à cheval sur une grande grue blanche, qui portait des lunettes, des chaussures à claquettes et un haut-de-forme et qui tenait une canne sous son aile. Le titre du tableau était: «Pour Patsy, monsieur Ichabod Grue, sur son trente et un».

Ce soir-là, quand la fillette rentra, Frances était à sa machine à coudre, en train de faire la bordure des napperons.

— Madame Cleverdon, devinez ce que je vais devenir quand je vais être grande, dit Patsy.

— Oh! je n'ai pas la moindre idée.

— Devinez.

— Voyons voir. Professeur? dit Frances.

— Non.

— Cow-boy?

— Non, dit Patsy en riant. Voulez-vous que je vous le dise?

— Oui.

— Docteur pour les oiseaux, déclara la fillette, les yeux brillants.

— Docteur pour les oiseaux? Mon Dieu, où as-tu pris cette idée?

— De monsieur Campbell. Il a dit que, si je veux assez fort, je peux. Il a dit que tout ce qu'il faut faire, c'est de vouloir quelque chose vraiment très fort, et c'est supposé arriver.

— Il a dit ça ?

— Oui, il a dit qu'il a toujours voulu être peintre, qu'il l'a souhaité et souhaité, vraiment très fort, et à présent il le fait !

Patsy lui montra le tableau qu'Oswald lui avait offert.

— Oh ! c'est très bien, dit Frances. Il peint de mieux en mieux, pas vrai ? Ta tante Mildred devrait voir ça, dit-elle en lui rendant le portrait. Tu aimes monsieur Campbell, n'est-ce pas ?

— Oui, m'dame, il est drôle.

Quand Patsy fut couchée, Frances repensa à ce que monsieur Campbell avait dit à la petite fille et songea qu'il avait peut-être raison. Elle devait avoir voulu un enfant vraiment très fort parce qu'elle avait fini par en avoir un. À présent, elle priait très fort pour que le père de Patsy ne revienne jamais pour la lui enlever. Elle savait que c'était mal de demander une chose de ce genre, mais elle ne pouvait s'en empêcher.

L'étranger

Par un après-midi chaud et humide du mois de mai, une voiture noire s'arrêta devant le magasin. Derrière le comptoir, à côté de la caisse enregistreuse, Roy racontait à Oswald en riant qu'à son arrivée, ce matin-là, il avait trouvé Jack la patte collée sur un papier tue-mouche. Betty Kitchen examinait des pommes de terre dans la section des fruits et légumes. Quand l'homme, en chemise blanche et en pantalon d'un noir brillant, entra et se mit à regarder autour de lui dans le magasin, Roy leva les yeux.

— Puis-je vous être utile ?

L'homme s'essuya le front et la nuque avec son mouchoir.

— Ouais, dit-il, je voudrais quelque chose de frais à boire, si vous en avez. Il fait rudement chaud dehors.

Roy lui indiqua la glacière à sodas.

— Servez-vous.

— Merci, dit l'homme.

Sans savoir pourquoi, Roy avait une impression étrange de ce type. En regardant par la fenêtre, il vit que sa voiture venait de Montgomery, la capitale de l'État, et qu'il y avait un sceau sur la porte. Ce type n'était pas perdu et il ne s'était pas arrêté juste pour boire un soda. Il était là en mission officielle. Pendant que l'homme fouillait dans la glacière, le dos tourné, Roy fit lentement le tour du comptoir et se plaça devant la photo affichée sur le côté de la caisse enregistreuse.

L'homme s'approcha avec son soda.

— Je me demande si vous pourriez m'aider. J'essaie de trouver une dame Tammie Suggs. On m'a dit qu'elle avait vécu dans les parages avec sa famille.

Quand Betty Kitchen entendit le nom de Suggs, elle commença à lancer à toute allure des pommes de terre dans son sac.

Roy s'appuya contre la caisse enregistreuse, se croisa les bras et se mit à réfléchir à haute voix.

— Hem… Suggs… Suggs… Non, ça ne me dit rien.

Entre-temps, Oswald s'était lentement éloigné de la caisse vers le fond du magasin et faisait semblant de chercher quelque chose dans une étagère.

Roy sortit un cure-dent de sa poche, le regarda et le mit ensuite au coin de ses lèvres.

— Pourquoi voulez-vous retrouver cette madame Suggs ? demanda-t-il calmement. Pour une raison spéciale ?

— En fait, je recherche plutôt la petite fille qui, nous a-t-on dit, vivait avec elle.

Tout à coup, Jack se mit à tourner dans sa roue en plastique et à faire sonner ses clochettes comme un fou, comme s'il sentait lui aussi le danger qui planait.

— Je la recherche au nom de son père, poursuivit l'homme en sortant une feuille de papier de sa poche. Un nommé James Douglas Casey, qui l'avait laissée à la garde de la famille Suggs. Selon nos dossiers, cette région est leur dernier lieu de séjour connu.

— Hem, dit Roy en se retournant. Mademoiselle Kitchen, le nom de Suggs vous dit-il quelque chose?

— Je n'en ai jamais entendu parler, dit Betty en se dirigeant vers les courges.

— Hé! Monsieur Campbell, lança ensuite Roy vers l'arrière du magasin, avez-vous entendu parler d'une famille Suggs qui aurait vécu dans la région? Ils avaient une petite fille avec eux.

Oswald était resté figé devant une boîte de fèves au lard.

— Suggs? dit-il. Non, la seule famille à laquelle je pense a déménagé au Mexique. Je crois qu'ils ont mentionné qu'ils allaient à Juárez, à moins que ce ne soit Cuernavaca. Une des villes de là-bas.

— Le Mexique? demanda l'homme. Êtes-vous certains qu'ils ont parlé du Mexique?

— Ouais, dit Oswald en prenant une boîte de haricots blancs et en faisant mine de lire l'étiquette. Ils m'ont dit qu'ils ne reviendraient pas non plus, à cause d'ennuis avec la justice, ou quelque chose comme ça.

— Ah! bon, dit l'homme.

À ce moment-là, Claude entra avec un seau rempli de poissons.

— Oh! bonjour monsieur Underwood, s'empressa de dire Roy en se raclant la gorge. Comment allez-vous aujourd'hui? Vous pouvez peut-être nous aider. Ce monsieur recherche une fillette qui vivait dans les bois avec une famille nommée Suggs. Monsieur Campbell se rappelle qu'il y avait là une famille, avec une petite fille, qui est partie pour le Mexique, à Juárez ou Cuernavaca. C'est bien ça, monsieur Campbell?

— C'est ça, dit Oswald, qui se trouvait maintenant dans la section des céréales pour le petit-déjeuner.

Claude avait compris que quelque chose n'allait pas dès que Roy l'avait appelé monsieur Underwood. Il posa le seau de poissons sur le comptoir.

— Je ne suis malheureusement pas d'accord avec vous, Oswald, mais j'ai entendu les gens dont vous parlez dire qu'ils partaient pour le Canada.

L'homme le regarda.

— Le Canada?

Claude ôta sa casquette et se gratta la tête.

— Ouais, si je me souviens bien, ils ont dit qu'ils s'en allaient au Québec.

— Vous avez peut-être raison, dit Oswald en prenant une boîte d'allumettes Blue Diamond. Je savais que c'était un endroit dont le nom commence par un Q.

— Non, attendez une minute… dit Claude. Maintenant que j'y pense, c'était peut-être le Mexique. Je sais que c'était à l'un ou l'autre de ces endroits, mais si j'étais vous j'essaierais d'abord le Mexique.

— Bon sang! soupira l'homme. Le temps que je passe à travers toute la paperasserie là-bas, l'enfant sera une adulte.

— Alors, dit Roy le plus naturellement possible, en réprimant même un bâillement, le père veut ravoir sa fille?

L'homme prit une lampée de son Coca-Cola, puis hocha la tête.

— Non, pas vraiment. Le père est mort. Il est tombé de l'arrière d'un camion, il y a un mois ou deux. La grand-mère prétend qu'elle est trop vieille pour prendre soin de la fillette, alors elle a signé un formulaire de renoncement à ses droits pour que nous nous en occupions, et à présent il ne me reste plus qu'à la trouver.

— Qui ça nous ? demanda Roy.

— L'État de l'Alabama. Elle est maintenant officiellement pupille de l'État.

À cet instant, en jetant un coup d'œil par la fenêtre, Betty Kitchen aperçut Patsy qui se dirigeait droit vers la porte du magasin. Elle s'empara immédiatement de son sac d'épicerie et passa à toute vitesse devant les hommes debout près de la caisse enregistreuse.

— Je vous paierai demain, dit-elle en sortant.

Son sac dans un bras, elle saisit Patsy dans l'autre et la ramena chez Frances en moins de cinq secondes. Betty n'avait pas été infirmière dans des services d'urgence pour rien. Elle pouvait faire vite quand il le fallait. L'homme dans le magasin, à qui cet épisode avait complètement échappé, continuait à se plaindre de son travail.

— Je perds la moitié de ma vie à parcourir les routes pour retrouver des gens et…

Il s'arrêta au milieu de sa phrase.

— Quelles sont ces clochettes que j'entends ?

— C'est seulement un oiseau que je garde dans l'arrière-boutique.

— Oh ! s'exclama-t-il.

— Dites-moi, demanda Roy, juste par curiosité. Que va-t-il lui arriver si vous la trouvez ?

— Eh bien, répondit l'homme en regardant tous les animaux et poissons empaillés sur les murs, étant donné qu'elle n'a pas d'autres parents vivants, elle sera probablement envoyée dans une institution publique jusqu'à ses dix-huit ans.

En entendant cela, Oswald tressaillit. La seule idée que Patsy puisse grandir en institution lui donnait presque la nausée.

— Beaux poissons, dit l'homme qui s'était approché du seau.

Il mit ensuite sa bouteille vide sur le comptoir et soupira de nouveau.

— Alors, je vous remercie de votre aide, mais d'après ce que vous me dites, je n'ai pas l'impression que je vais retrouver cette petite fille de sitôt. Essayez voir de rattraper quelqu'un au Mexique ou au Canada.

Il demanda ensuite à Roy ce qu'il lui devait pour le Coca-Cola.

— Rien du tout, dit Roy. Je suis toujours heureux de rendre service à un fonctionnaire.

— Merci beaucoup, dit-il en tendant sa carte à Roy. Je m'appelle Brent Boone. Mon numéro est là. Appelez-moi si vous entendez parler de quelque chose.

— Nous n'y manquerons pas, monsieur Boone, dit Roy.

Boone se dirigea vers la porte en marmonnant pour lui-même.

— Mexico, ça ne pouvait pas être pire.

Avant de sortir, il se retourna.

— Souhaitez-moi bonne chance, les gars. Dieu sait que j'en aurai besoin.

— Ouais, dit Roy, bonne chance.

Ils le regardèrent tous les trois partir. Roy décrocha le téléphone pour appeler Frances. À partir de ce jour, ils décidèrent que Patsy était officiellement des leurs. Ce soir-là, Oswald rentra à la maison le sourire aux lèvres. Elle se nommait Patsy Casey. Elle était irlandaise, comme lui !

L'assistante

L'été avançait et tout semblait aller de mieux en mieux. Oswald se sentait bien, et le déjeuner des Polka dots avec les membres du Gruyère royal avait été un énorme succès. Les dames du Gruyère royal, qui avaient tendance à traiter les Polka dots de haut en ce qui concernait leurs travaux à l'aiguille, avaient été très impressionnées par les napperons, et Frances avait bien vu qu'elles étaient rongées d'envie devant l'aspic à la tomate. Non seulement le déjeuner avait-il été un triomphe, mais Patsy était très heureuse. Elle avait un tout nouveau travail.

Roy avait déjà fait quelques spectacles en compagnie de Jack pour ramasser des fonds en faveur des écoles de la région ou de bazars paroissiaux. Quand on le pria à nouveau de faire une représentation avec Jack, Roy demanda à Frances si Patsy pourrait les accompagner. Frances acquiesça parce qu'elle trouvait que c'était une bonne idée. Par la suite, toutes les fois qu'il présentait un spectacle avec Jack, Roy amenait Patsy comme assistante. Pour ces occasions, Frances lui acheta même une robe rayée de rouge et de blanc, assortie au veston de Roy et au ruban de son chapeau de paille. Oswald les accompagnait et aidait à placer les chaises pour les spectateurs. Roy commençait la représentation avec Patsy debout à côté de lui et Jack perché sur son doigt.

— Venez, venez tous, venez voir l'incroyable cardinal de Baldwin County. Il marche, il parle, il rampe sur le ventre comme un serpent. Le seul cardinal en captivité qui connaît son nom ! Et à présent, ma charmante assistante, mademoiselle Patsy, et moi-même allons vous faire une démonstration. Est-ce que ton nom est Jack ?

L'oiseau agitait la tête de bas en haut comme s'il acquiesçait.

— Il dit oui ! Absolument extraordinaire. Mais attendez. Vous pensez sans doute qu'un pauvre stupide oiseau ne peut pas reconnaître sa droite de sa gauche. Mais observez l'incroyable cardinal de Baldwin County.

Patsy tendait alors son index droit, et Jack allait s'y poser.

— C'est parfait, mon ami ! Et maintenant, à gauche.

Jack s'envolait vers sa main gauche.

— Absolument incroyable ! Le seul cardinal en Amérique, mesdames et messieurs, filles et garçons de tous les âges, qui peut me dire précisément ce que j'ai caché dans ma main.

L'oiseau remontait alors le bras de Patsy jusqu'à son épaule et lui picorait l'oreille.

— Et que vous a-t-il dit, mademoiselle Patsy ?

Il se penchait pendant que Patsy lui chuchotait quelque chose.

— L'oiseau a dit « des graines de tournesol ».

Roy ouvrait alors la main, qui contenait une dizaine de graines de tournesol noir.

— Il a parfaitement raison une fois de plus, mesdames et messieurs ! Je n'en reviens pas moi-même.

Patsy faisait ensuite semblant que l'oiseau lui avait dit autre chose à l'oreille et elle tirait sur le veston de Roy.

— Attendez un instant, mesdames et messieurs, l'oiseau a encore parlé, disait Roy en levant la main.

Patsy chuchotait encore quelque chose à Roy.

— Ah ! Ah ! s'exclamait Roy. L'incroyable cardinal de Baldwin County dit qu'il aimerait vous faire la démonstration de son pouvoir de détection. Très bien. Je vais maintenant cacher certains objets pour vérifier ses habiletés. Si vous voulez bien vous retourner, mademoiselle Patsy, pendant que je cache les objets.

Patsy se retournait avec Jack, pendant que Roy cachait ostensiblement des graines dans toutes ses poches. Ensuite, évidemment, Jack, qui était grand amateur de graines de tournesol, étonnait l'assistance en plongeant la tête dans toutes les poches de Roy pour trouver jusqu'à la dernière graine.

Après le spectacle, les enfants s'approchaient pour parler à Patsy, mais Roy avait remarqué qu'elle semblait timide et effrayée par les autres petits.

Frances aussi s'en était aperçue, et cela l'inquiétait. Elle avait essayé d'inviter quelques enfants à la maison pour jouer avec Patsy, sans succès. Tout ce que Patsy voulait, c'était jouer avec Jack. Frances se demandait si des enfants ne l'auraient pas déjà ridiculisée à cause de sa jambe. La première fois qu'elle lui avait donné un bain, elle avait été surprise de voir à quel point son petit corps était tordu. Elle espérait seulement que, lorsque Patsy irait à l'école à l'automne, les autres enfants ne se moqueraient pas d'elle.

Deux hommes
dans un bateau

Claude avait appris par ouï-dire que les rougets mordaient et il avait remonté la rivière jusqu'à la baie Perdido. En revenant chez lui, en fin d'après-midi, il entendit crier.

— Au secours! Au secours! Au secours!

Au milieu de la rivière, il vit deux hommes, debout dans un bateau bleu et blanc de sept mètres, flambant neuf, qui agitaient frénétiquement les bras.

Il ralentit son moteur et s'approcha d'eux.

— Hé! les gars, que vous arrive-t-il?

— Dieu merci, vous êtes passé par ici! Nous avons été en panne toute la journée, dit l'un des hommes.

— Nous devons avoir heurté quelque chose parce que le moteur s'est soudain arrêté et n'a jamais voulu repartir. Nous allons à la dérive depuis des heures. Nous devons avoir fait huit kilomètres, dit l'autre.

— Pourquoi n'avez-vous pas utilisé vos rames? demanda Claude.

— On ne nous en a pas donné.

Claude leur indiqua calmement le côté droit du bateau.

— Regardez dans ce compartiment en bas. Il devrait y en avoir au moins deux.

L'homme le plus costaud ouvrit le panneau et vit deux rames.

— Oh!

— D'où venez-vous, les gars?

— Nous sommes partis du Grand Hotel à Point Clear. Où sommes-nous à présent?

— Vous êtes rendus à Lost River, environ vingt-quatre kilomètres au sud.

— Comment allons-nous faire pour retourner là-bas?

— Eh bien, laissez-moi regarder votre moteur, dit Claude avant de manœuvrer jusqu'à l'arrière du bateau et de rapidement évaluer la situation. Il est plein de vase et de bouc.

— Peut-on le réparer?

— Bien sûr, mais il faut le sortir de l'eau pour cela.

Il leur lança un câble et remorqua leur bateau jusque chez lui. Quand ils amarrèrent au quai, Claude regarda le soleil qui se couchait.

— Il est trop tard pour vous ramener à l'hôtel en bateau ce soir, dit-il, mais je vais demander à Butch de vous reconduire et les gens de l'hôtel pourront envoyer quelqu'un chercher le bateau demain.

Les deux hommes ramassèrent leur coûteux attirail de pêche, leurs lourdes cannes et leurs moulinets.

— Les gars, qu'est-ce que vous espériez pêcher aujourd'hui? leur demanda Claude en gloussant.

Embarrassés d'avoir été remorqués, ils essayèrent de lui faire croire qu'ils savaient ce qu'ils faisaient.

— Oh! de la truite mouchetée, du rouget. J'ai entendu dire qu'il y en avait pas mal à cette période de l'année.

— Hum, dit Claude. La seule chose à peu près que vous risquez d'attraper avec tout cet attirail serait un requin... ou une baleine, peut-être.

Il ouvrit un contenant d'où il tira un chapelet de perches, de rougets et de truites mouchetées, les plus gros que les deux types aient jamais vus.

— Venez avec moi à la maison, je vais téléphoner à Butch.

— Merci, c'est très gentil de votre part.

— En passant, dit le plus gros, je m'appelle Tom, et voici Richard.

— Je suis Claude Underwood. Heureux de faire votre connaissance.

Ils traversèrent la cour ensemble.

— Êtes-vous en vacances dans la région, les gars ? demanda Claude.

— Non, dit Tom, nous assistons à un congrès médical à l'hôtel, mais nous avons pensé en profiter pour faire une petite partie de pêche pendant que nous étions ici.

Quand ils arrivèrent à la maison, Sybil leur prépara du café et, quelques minutes plus tard, Butch entra en sifflant. Il avait l'habitude qu'on lui demande de reconduire des pêcheurs amateurs chez eux. Ça lui donnait l'occasion de s'amuser un peu.

— Hé ! les gars, j'ai entendu dire que vous étiez perdus. C'est pourquoi on appelle ça Lost River ici, parce que quand on est rendu aussi loin, on est perdu.

Comme toujours, il rit de sa propre plaisanterie comme si c'était la chose la plus drôle qu'il ait jamais entendue.

— Combien de temps encore restez-vous ? demanda Claude au moment où ils allaient partir.

— Seulement trois jours, dit Tom. Malheureusement, celle d'aujourd'hui a été un foutu merdier. Excusez-moi, madame, ajouta-t-il en regardant Sybil.

Elle éclata de rire.

— Ne vous en faites pas, je suis mariée à un pêcheur et j'ai souvent entendu ce genre de langage.

Claude était désolé de leur malchance.

— Si vous voulez retourner à la pêche, revenez demain. Je vais vous amener avec moi et vous indiquer quelques bons coins.

Plus tard, pendant que Butch les conduisait à l'hôtel, il leur dit :

— Vous l'ignorez peut-être, mais vous venez de rencontrer le meilleur pêcheur de tout l'État. S'il vous a offert de l'accompagner, sautez sur l'occasion.

— Merci. Nous n'y manquerons pas, lui dirent-ils.

Le lendemain après-midi, Butch alla les chercher et les amena au bord de la rivière, où Claude les attendait sur le quai.

— Hé ! les gars, montez, leur dit-il.

Ils embarquèrent dans son vieux bateau vert de quatre mètres de long, à fond plat, actionné par un petit moteur Johnson de cinq chevaux-vapeur. Claude leur tendit à tous les deux une simple canne à moulinet et leur expliqua sa méthode.

— J'utilise seulement ce petit bidule.

Il leur montra un leurre Heddon rouge et blanc.

— Je l'ai modifié un peu, j'en ai retiré une partie pour qu'il aille plus en profondeur. Ou bien alors, j'utilise seulement un plomb, c'est tout ce dont on a réellement besoin.

Avant la fin de la journée, les deux types étaient si excités qu'ils ne pouvaient en croire leurs yeux. Ils avaient pris plus de poissons et appris plus sur la pêche dans cette seule journée que dans tout le reste de leur vie. Ils étaient convaincus que Claude avait des connaissances secrètes sur les poissons.

— Non, leur dit Claude, toujours philosophe, il n'y a pas de secret. Ou bien ils mordent ou bien non.

Les hommes revinrent les deux après-midi suivants et adorèrent leurs expéditions sur la rivière avec Claude. Celui-ci s'amusa avec ces deux types, manifestement des gars de la ville, pleins d'enthousiasme chaque fois qu'ils prenaient un poisson. Le dernier jour de leur séjour, ils voulurent le payer pour leur avoir servi de guide, mais il refusa.

— Vous ne me devez rien, dit-il.

— Nous aimerions vous rétribuer pour votre temps, dit Tom.

— Merci, mais ce n'est pas nécessaire, il n'y a vraiment pas de quoi.

— Vous êtes certain ?

— Oui, je suis certain. Vous ne me devez pas un sou. Mais je vais vous prier de m'accorder une faveur.

— Si c'est possible, bien sûr, de quoi s'agit-il ?

— Je sais, les gars, que vous êtes tous les deux médecins, et je me demandais si vous pourriez examiner une petite fille que je connais et me dire ce que vous en pensez.

Claude avait appris que les deux hommes étaient à l'hôtel pour un congrès de la région sud-est des chirurgiens du coude et de l'épaule. Il ignorait s'ils pourraient aider Patsy, mais il pensait que ça valait la peine d'essayer. Il demanda donc à Frances de venir chez lui avec Patsy cet après-midi-là, juste au cas où ils accepteraient de l'examiner.

Frances mit sa plus belle robe à Patsy et l'amena. Elles s'assirent dans la salle de séjour, avec Sybil et Butch, pour attendre les pêcheurs. Quand Claude entra avec les deux hommes, il les présenta à Frances, puis à Patsy. Tom se pencha et lui serra la main.

— Bonjour, Patsy, comment vas-tu ? Ma chérie, veux-tu me faire un grand plaisir ? demanda-t-il. Veux-tu marcher jusqu'à l'autre bout de la pièce pour moi ?

Patsy regarda Frances, qui lui sourit et lui fit signe de s'exécuter. Elle traversa la pièce, puis s'arrêta. Tom murmura quelque chose à son ami.

— À présent, reviens vers moi.

Elle le fit.

— C'est parfait, trésor, merci, dit-il.

Après avoir bavardé encore quelques minutes, ils prirent congé et sortirent.

Claude et Butch les suivirent et ils discutèrent tous les quatre.

— Malheureusement, monsieur Underwood, dit Tom, ce genre d'infirmité de naissance n'est pas notre spécialité. Nous nous occupons plutôt de blessures sportives. Je voudrais bien être de quelque utilité, mais cette fillette a besoin d'un spécialiste.

— Quel type de spécialiste ?

— Elle a besoin d'un pédiatre chirurgien orthopédique, dit Richard. Les os des enfants sont délicats, et il faut quelqu'un qui a beaucoup de dextérité et d'expertise dans ce domaine.

Tom regarda son ami.

— Sam Glickman, dit-il.

Richard acquiesça.

— Ouais.

Plus tard, le soir même, le téléphone sonna chez Claude.

— Monsieur Underwood, c'est Tom. Écoutez : si vous pouvez amener cette petite fille ici, à l'hôtel, avant huit heures demain matin, Sam dit qu'il va l'examiner rapidement avant de prendre l'avion pour Atlanta.

Claude appela Frances et lui demanda de préparer Patsy. Butch passerait les chercher à six heures trente et les conduirait à l'hôtel. Quand Frances annonça à Patsy qu'elles iraient se promener en voiture le lendemain matin, la fillette demanda si monsieur Campbell pouvait les accompagner.

— Eh bien, si ça te fait plaisir, je vais téléphoner pour voir s'il est libre.

— Si Patsy veut que je vienne, lui dit-il quand elle lui téléphona, j'y serai.

En raccrochant, il était au septième ciel de savoir que Patsy désirait qu'il les accompagne. S'il voulait y aller ?

Eh bien, il se serait rendu jusqu'à la lune, aller-retour, si elle le lui avait demandé.

Le lendemain matin, Butch les conduisit tous les trois jusqu'à Point Clear, au Grand Hotel, sur la baie de Mobile. À sept heures trente, vêtue seulement de ses sous-vêtements et de sa casquette Dr Pepper, Patsy était étendue sur une des grandes tables de l'immense salle des banquets pour l'examen du docteur Samuel Glickman. Frances et Oswald tiquaient tous les deux en voyant le médecin tirer et pousser sa jambe dans tous les sens. Il la fit ensuite s'allonger sur le ventre et tâta sa colonne vertébrale de haut en bas, en lui parlant tout le temps qu'il l'examinait.

— Tu sais, Patsy, lui dit-il, j'ai une petite-fille de ton âge qui s'appelle Colbi, et sais-tu ce qu'elle m'a dit ? Est-ce que ça fait mal ?

Patsy fit une grimace, comme si c'était le cas, mais elle répondit :

— Non, monsieur.

Il la fit se retourner sur le dos.

— Elle m'a dit : « J'ai déjà deux amoureux, tu sais, grand-papa. » Peux-tu imaginer ça ?

En la faisant s'asseoir et se pencher vers la gauche puis vers la droite le plus loin possible, il lui demanda :

— As-tu un amoureux ?

— Non, monsieur, dit-elle.

— Mais oui, tu en as un, Patsy, dit Frances. Tu m'as dit l'autre jour que Jack était ton amoureux. Parle de Jack au docteur, ma chérie.

❖

Quand ce fut terminé, le médecin regarda sa montre et prit sa valise.

— Accompagnez-moi jusqu'à la voiture, madame Cleverdon, dit-il à Frances, avant de se retourner et de faire un signe de la main à Patsy. Au revoir.

Il se mit à parler pendant qu'ils traversaient le hall.

— Madame Cleverdon, j'aurais évidemment besoin de radiographies, mais d'après ce que j'ai senti, je dirais que son pelvis et sa hanche droite sont brisés à quatre ou cinq endroits et la personne qui en est responsable ne s'est jamais préoccupée de remettre les os en place. Se plaint-elle beaucoup de la douleur ?

Frances devait courir pour suivre son allure.

— Non, docteur, elle ne m'a jamais parlé de douleur.

— Eh bien, je ne sais pas pourquoi elle ne l'a pas fait, parce que je sais que ça doit la faire souffrir. Ces os exercent une pression sur les nerfs de sa hanche et de sa colonne, et plus elle grandira, pire ce sera.

Quand il entra dans la voiture qui l'attendait, Frances lâcha la question qui les préoccupait tous.

— Y a-t-il quelque chose à faire ?

Le docteur Glickman leva les yeux vers elle.

— Madame Cleverdon, la question n'est pas de savoir si on peut faire quelque chose. Il le faut. Appelez à mon bureau, dit-il en lui remettant sa carte, et prenez un rendez-vous.

Et la voiture s'éloigna.

Frances retourna à l'intérieur et les trouva tous qui l'attendaient dans le hall.

— Il veut la voir à son bureau, dit-elle.

Deux semaines plus tard, à Atlanta, ils zigzaguaient entre les voitures pendant que Frances et Oswald essayaient de trouver leur route sur la carte. Enfin, ils aperçurent l'immeuble et arrivèrent à l'heure.

— Comment les gens réussissent à entrer dans cette ville et à en sortir sans problème reste un mystère pour moi, dit Frances.

Après avoir examiné une série de radiographies et les résultats de tous les tests, le docteur Glickman invita Frances et Oswald dans son bureau, pendant qu'une infirmière amenait Patsy à la cafétéria pour manger une bouchée.

— Avec une malformation aussi sévère que celle-ci, dit-il, si on ne fait rien pour la corriger, l'enfant va commencer à perdre de la mobilité et elle finira par ne plus être capable de marcher du tout.

Frances saisit la main d'Oswald pour trouver du soutien.

— Mon Dieu !

— Et, à mesure qu'elle va grandir, son système nerveux central sera affecté lui aussi. Plus vite nous pourrons replacer ces os et libérer ses nerfs et ses muscles de toute cette tension, le mieux ce sera. Mais nous parlons ici de deux – peut-être trois – opérations distinctes. Pour une enfant si jeune et si frêle, c'est une entreprise très sérieuse et il lui faudra beaucoup de force et de résistance pour passer à travers.

Frances s'affola.

— Vous ne voulez pas dire qu'elle pourrait mourir, n'est-ce pas ?

— Avec toute chirurgie majeure, il y a toujours ce risque, bien sûr, mais elle me semble une petite fille plutôt heureuse avec le goût de vivre. Soyons clairs. Elle aura besoin de beaucoup de soutien affectif de nous tous pendant ce long parcours et, même après avoir traversé tout cela, il n'y a pas de garantie qu'elle guérira parfaitement.

— Mon Dieu! répéta Frances.

— Cela dit, mon opinion est que ça doit être fait. Je veux seulement que vous sachiez, dès le départ, que ce sera un long et difficile processus, quels qu'en soient les résultats.

— Cela sera-t-il coûteux? demanda Oswald.

— Je voudrais bien vous répondre non, monsieur Campbell, mais oui. Ce sera terriblement coûteux.

Il jeta un coup d'œil sur la photo de sa petite-fille sur son bureau. Il feuilleta ensuite un calendrier, puis les regarda par-dessus ses lunettes.

— Je vais vous dire ce que je vais faire. Je vais renoncer à mes honoraires pour la chirurgie. Cela devrait aider un peu. Si vous me promettez de me l'amener ici avec quelques kilos en plus à la fin du mois de juillet, nous pourrons effectuer la première opération le matin du deux août.

Frances assura le médecin qu'ils y seraient et que Patsy aurait quelques kilos de plus, même si elle devait la nourrir vingt fois par jour. Comment ils trouveraient le reste de l'argent était une autre question, mais elle ne le lui dit pas.

Pendant le mois suivant, tous les voisins se mirent à gaver Patsy de biscuits, de bonbons et de toute la glace qu'elle pouvait manger. Ils étaient déterminés à lui faire prendre ces quelques kilos avant la fin de juillet. Mais le principal problème demeurait l'argent. Même sans les honoraires du médecin, ils estimaient que le coût du long séjour à l'hôpital, plus celui des mois de thérapie qui suivraient, s'élèverait au-dessus de cent mille dollars. Frances et Mildred avaient de petites économies, mais ce serait loin d'être suffisant. L'Association communautaire de Lost River organisa plusieurs collectes de fonds, et un gros pot, LE FONDS DE PATSY, trônait à côté de la caisse enregistreuse à l'épicerie. Bientôt, à mesure que les gens en entendaient parler, d'autres organismes commencèrent à les aider. Quand Elizabeth, leur amie de Lillian, présidente de leur association sœur, l'Ordre mystique du Gruyère royal, en fut informée, son groupe organisa une vente de charité avec des plats maison. À Lost River se tint un énorme souper de poisson frit tous les samedis, grâce à Claude, et les gens venaient de tous les coins du comté pour y participer. La nouvelle continuait de se répandre et, grâce aux amis de Butch, le Elks Club d'Elberta décida de tenir une activité. Ils organisèrent un barbecue, et tous les habitants de Lost River y assistèrent, de concert avec des centaines de personnes de toute la région. Quand Oswald arriva, il eut toute une surprise. Les membres de l'Association des accordéonistes de l'Alabama avaient offert leurs services et donnaient un concert gratuit dans le parc pour ramasser de l'argent. Ils étaient sur la scène du kiosque à musique, vêtus du lederhose bavarois. Monsieur Krause aperçut Oswald et lui fit un signe de la main pendant que le groupe jouait « La Polka du baril de bière ». Frances, Mildred et Patsy le rejoignirent, et ils s'assirent sur les chaises en bois pour écouter le concert. Patsy en était à sa deuxième barbe à papa quand Oswald vit quelque chose qui lui glaça le sang. Il venait d'apercevoir Brent Boone, le fonctionnaire, assis dans la rangée devant eux et qui fixait Patsy des yeux.

Oswald sentit ses oreilles rougir. Boone se leva, se dirigea vers le gros baril en bois sur lequel on pouvait lire LE FONDS DE PATSY, y lança un billet de dix dollars et remonta l'allée. En passant à côté d'Oswald, qui avait le souffle coupé, il le regarda.

— Le Mexique, mon cul, marmonna-t-il du coin des lèvres sans s'arrêter.

Plus le mois d'août approchait, plus Oswald voulait apporter sa contribution pour Patsy. Il n'avait évidemment pas d'argent, mais il avait une idée. Même s'il ne récoltait que quelques dollars, ce serait mieux que rien.

Butch le conduisit au Grand Hotel, à Point Clear. La dernière fois qu'ils y étaient allés, avec Patsy, Oswald avait remarqué qu'il y avait une galerie d'art dans le hall. Ce jour-là, il prit son courage à deux mains et entra. Une charmante dame examina ses aquarelles, une à la fois, sans faire de commentaires.

— Combien en demandez-vous, monsieur Campbell? dit-elle quand elle eut terminé.

Il resta bouche bée. Il n'avait jamais rien vendu de sa vie, encore moins ses propres œuvres.

— Pourquoi ne me proposez-vous pas un prix? demanda-t-il.

Elle regarda de nouveau les aquarelles et les compta.

— Vous avez là dix-huit tableaux, n'est-ce pas?

— Oui.

Elle les examina une fois de plus.

— Je peux vous offrir deux cent cinquante dollars, dit-elle.

— Vous plaisantez, dit-il, tout ravi qu'elle soit prête à les acheter et à les payer autant.

— Je voudrais pouvoir vous en offrir plus, monsieur Campbell, ces aquarelles sont magnifiques, mais c'est une petite galerie ici.

— Non, c'est parfait. J'accepte.

— Je serais intéressée à voir toutes les autres œuvres que vous avez, monsieur Campbell, dit-elle en lui tendant son chèque.

Quand il fut sorti et qu'il regarda le chèque, il faillit s'évanouir.

Elle avait voulu dire deux cent cinquante dollars pour chaque aquarelle.

Vers la fin de juillet, on avait recueilli presque tout l'argent nécessaire et tout le monde était convaincu que ce qui manquait arriverait à temps. La veille du départ de Patsy à Atlanta pour son opération, Oswald et Roy avaient prévu une petite fête pour elle au magasin. Roy arriva vers six heures quarante-cinq pour ouvrir et siffla Jack.

— Hé! mon coquin, ta petite amie va venir te voir.

Pas de réponse.

— Qu'as-tu encore inventé aujourd'hui, petit farceur? J'espère que tu n'es pas encore dans les guimauves parce que je n'ai pas le temps de te donner un autre bain.

Il fit le tour du magasin en sifflant, à la recherche de l'oiseau. En se dirigeant vers l'avant, il aperçut Jack sur le plancher, dans un coin, près des fruits et légumes, son endroit de prédilection pour fouiller.

— Qu'est-ce que tu as fait là? J'espère que tu n'as pas encore picoré les tomates. Sinon, Mildred va sûrement te passer un savon.

Il s'approcha; Jack était couché sur le côté.

— Que fais-tu, espèce de fou?

Quand il le ramassa, le corps de Jack était raide et ses yeux, habituellement brillants, étaient étrangement ternes et vitreux. Roy examina de nouveau l'oiseau. Il se sentit tout à coup anéanti. Jack était mort.

Roy resta immobile, figé par le choc. Il ne pouvait croire que cette chose froide et inanimée qu'il tenait dans sa main était vraiment Jack. À cet instant, le monde entier sembla devenir silencieux, et Roy n'entendit plus que les battements de son propre cœur. Il resta là, assommé et pétrifié, jusqu'à ce qu'Oswald frappe bruyamment à la fenêtre avant. Il leva les yeux et Oswald lui fit un signe de la main. Roy alla ouvrir la porte. Oswald s'aperçut qu'il était blanc comme un drap. Il y avait quelque chose qui n'allait pas.

— Venez dans le bureau, dit Roy.

Oswald le suivit vers l'arrière du magasin.

— Que se passe-t-il, Roy?

Roy ferma la porte et lui montra l'oiseau.

— Jack est mort.

— Oh! mon Dieu! s'exclama Oswald. Comment est-ce arrivé?

Roy s'assit à son bureau en hochant la tête.

— Je ne sais pas. Je viens tout juste de le trouver.

Roy décrocha le téléphone et appela son ami vétérinaire, qui lui dit de vérifier si Jack semblait blessé.

— Non, répondit Roy, après avoir bien examiné l'oiseau. Il n'y a pas de sang ni rien d'anormal.

— Eh bien, je ne sais pas quoi te dire, Roy, il a peut-être mangé quelque chose ou attrapé un virus; il peut y avoir une centaine de causes. Mais ce genre de chose se passe souvent très rapidement chez les oiseaux. Un jour, ils sont en pleine forme et, le lendemain, ils ne sont plus là. Je suis désolé.

Roy raccrocha et regarda Oswald.

— Il ne sait pas.

Les deux hommes étaient toujours assis, ne sachant quoi dire, quand Oswald pensa tout à coup à quelque chose.

— Hé! Roy, dit-il. Patsy? Qu'allons-nous dire à Patsy?

Roy leva les yeux.

— Oh! mon Dieu, je n'y avais pas pensé. Appelez Frances et dites-lui de ne pas laisser Patsy venir ici tant que nous n'aurons pas trouvé une solution. Je vais mettre l'affichette FERMÉ sur la porte.

Oswald composa le numéro de Frances pendant que Roy baissait les stores et éteignait les lumières.

— Allo, répondit Frances.

— Frances, c'est Oswald. Je suis au magasin. Où est Patsy?

— Elle est ici, monsieur Campbell. Elle termine son petit-déjeuner. Pourquoi?

— Dieu merci, elle n'est pas encore partie. Sous aucun prétexte vous ne devez la laisser venir au magasin aujourd'hui.

— Oh? dit-elle en regardant Patsy et sans bien comprendre. Eh bien, ça ne sera pas facile.

— Je sais, mais vous devez le faire. Je vous expliquerai plus tard. Gardez-la près de vous.

Au ton de la voix de monsieur Campbell, Frances saisit que ce qui se passait était grave. Patsy se levait justement pour partir.

— Oh! ma chérie, s'écria Frances, je ne peux pas te laisser aller au magasin aujourd'hui.

Patsy écarquilla les yeux.

— Pourquoi?

— Oh! il est arrivé une chose terrible.

— Quoi?

Frances regarda la petite fille qui attendait une réponse.

— Le pauvre Roy a la rougeole! dit-elle, soulagée d'avoir trouvé un prétexte au dernier moment.

Patsy parut tout à coup effrayée.

— Oh! non. Jack a-t-il la rougeole lui aussi?

— Non, trésor, les oiseaux n'attrapent pas la rougeole, seulement les gens.

Frances n'avait aucune idée de ce qui était réellement arrivé. Les deux hommes savaient que Patsy partait pour l'hôpital le lendemain et qu'elle serait terriblement bouleversée si elle ne voyait pas Jack avant son départ. La seule chose assez sérieuse qu'elle pouvait imaginer, c'était que ce fou de Julian LaPonde s'était peut-être enfin décidé à traverser la rivière, dans un esprit de vengeance, et qu'il avait tiré sur Roy.

Quelques minutes plus tard, Oswald entra dans le jardin et saisit le regard de Frances par la fenêtre de la cuisine. Il lui fit signe de venir chez lui.

Frances s'essuya les mains.

— Ma chérie, je dois aller chez Betty, mais je reviens tout de suite. Cependant, tu dois me promettre que tu ne bougeras pas d'ici, d'accord ?

Après avoir donné un album à colorier à la fillette, elle se rendit chez la voisine. Betty et Oswald étaient dans la salle de séjour, l'un près de l'autre, et conversaient à voix basse.

— Pouvez-vous me dire ce qui se passe ? demanda-t-elle.

— Assieds-toi, Frances, dit Betty, nous avons de très mauvaises nouvelles.

Frances porta la main à sa bouche.

— Oh ! non, c'est Roy, n'est-ce pas ? On lui a tiré dessus, c'est ça ? Est-il mort ?

— Non, dit Betty, ce n'est pas Roy, c'est Jack. Quand Roy est arrivé ce matin, il l'a trouvé mort.

— Oh ! mon Dieu, que lui est-il arrivé ?

— Nous ne le savons pas, mais c'est pour cela que nous ne voulions pas que Patsy aille au magasin aujourd'hui, dit Oswald.

Frances s'assit.

— Oh ! Dieu du ciel, qu'allons-nous bien lui dire ? Vous connaissez ses sentiments pour cet oiseau.

— Oui, dit Oswald, je les connais. Comment avez-vous réussi à la garder à la maison aujourd'hui ?

— Je lui ai dit que Roy avait la rougeole. Je ne savais pas quoi inventer ; j'étais tout à l'envers. Je lui ai aussi promis qu'elle pourrait passer par le magasin pour dire au revoir à Jack demain. Je ne savais pas qu'il était mort !

À ce moment précis, Mildred fit irruption par la porte avant.

— Que se passe-t-il ? Je me suis rendue au magasin, et il est fermé.

175

Betty referma la porte derrière elle.

— Jack est mort.

Le souffle coupé, Mildred regarda sa sœur.

— C'est vrai, dit Frances. Quand Roy est arrivé ce matin, il l'a trouvé sur le plancher.

— Oh! non, s'écria Mildred avant de s'écrouler sur le canapé en pleurant. Oh! non. Oh! pauvre petit Jack… Oh! pauvre petit oiseau. Oh! je me sens si malheureuse. Oh! la pauvre petite bête.

Frances la regardait comme si elle croyait que sa sœur avait perdu l'esprit.

— Mildred, deviens-tu folle? Pourquoi te comportes-tu ainsi? Tu n'as pas cessé de te plaindre de lui quand il était en vie.

— Je sais bien, gémit Mildred, mais je l'ai toujours aimé. Je n'ai jamais pensé qu'il pourrait mourir! Oh! pauvre petit Jack.

Elle s'empara ensuite d'un appuie-tête en dentelle posé sur le dossier du canapé et s'en servit comme d'un mouchoir, ce qui choqua grandement Betty.

— Mildred, dit Frances, tu es sans nul doute la femme la plus étrange que je connaisse. Tu n'as pas cessé de menacer de le passer à la casserole.

— Oh! je sais bien que c'est vrai! dit Mildred en gémissant encore plus fort.

Elle s'écroula de nouveau sur le canapé.

— Pour l'amour de Dieu, Mildred, dit Frances, ressaisis-toi. Le moment où j'ai vraiment besoin d'elle est celui qu'elle choisit pour perdre la tête, ajouta-t-elle d'un ton stupéfait en se tournant vers Betty et Oswald.

Plus tard en après-midi, pendant que Patsy faisait sa sieste, Butch, Betty, Dottie, Frances et Oswald se réunirent dans le bureau de Roy, pour tenter de trouver une solution. Frances décrivit le problème.

— Le médecin nous a dit que les opérations vont être très difficiles et dangereuses. Actuellement, cet oiseau est la chose que Patsy aime le plus au monde. Jack est son meilleur ami. Comment annoncer à une enfant qui se prépare à subir une opération majeure que son meilleur ami est mort ?

Oswald appuya Frances.

— Je ne vois pas comment on peut le lui dire. Je pense que nous devons déterminer ce qui est le plus important : lui avouer la vérité ou prendre le risque qu'elle ne passe pas à travers l'opération.

— Mais nous ne pouvons pas lui mentir, n'est-ce pas ? dit Dottie. Ce serait mal, non ? ajouta-t-elle en regardant autour d'elle. Nous ne pouvons pas mentir à une enfant, n'est-ce pas ?

— Pourquoi pas, Dottie ? demanda Betty. On le fait tous les ans à Noël. Quelle est la différence ? En tant qu'ancienne infirmière avec une formation en psychologie, je dis qu'il faut partir pour Atlanta comme s'il ne s'était rien passé. Plus tard, quand elle aura terminé ses opérations et sa thérapie, quand elle sera en bonne santé et tirée d'affaire, nous le lui dirons.

— Ouais, Frances, dit Butch. Ne le lui dis pas maintenant.

Frances hocha la tête.

— Cela semble simple et je suis d'accord avec vous, mais le problème est que je sais qu'elle ne voudra pas partir demain matin à moins d'avoir dit au revoir à Jack.

J'ai déjà eu assez de difficulté à la garder à la maison aujourd'hui.

Dottie réfléchit un moment.

— Pourrions-nous trouver un autre cardinal d'ici demain matin? Ils se ressemblent tous pas mal, n'est-ce pas? Moi-même, je serais bien incapable de distinguer l'un d'un autre.

Betty regarda Dottie comme si elle était folle.

— Comment penses-tu attraper un autre cardinal pour demain matin? lui demanda-t-elle. D'ailleurs, elle va se rendre compte que ce n'est pas le même oiseau. Penses-tu qu'un oiseau étranger va se poser sur son doigt et faire des tours?

— Eh bien, trouvez autre chose alors, dit Dottie.

Quand tout le monde fut parti, Roy resta seul, Jack dans la main. Il avait été le seul à se rendre compte que l'unique personne qui pouvait les aider était l'homme qu'il détestait le plus au monde. Celui auquel il s'était promis de ne jamais pardonner. Mais il n'y avait pas d'autre moyen. Après avoir fait tout leur possible pour trouver quelque chose, ils s'étaient tous mis d'accord que c'était la meilleure solution. Le pauvre Butch, si maigre et si brave, avait offert d'y aller, Betty Kitchen aussi, mais comme l'autre côté de la rivière n'était familier ni à l'un ni à l'autre, on décida que c'était Roy qui devait y aller, seul. C'était le geste le plus pénible qu'il aurait jamais à poser de toute sa vie : ravaler jusqu'à la moindre miette de sa fierté. Mais il décida quand même de le faire. Pour une fois, il devait oublier le passé. C'était pour Patsy.

Il enveloppa Jack dans un mouchoir et le mit dans sa poche. Quand le soleil commença à baisser, il traversa la rivière à la rame jusqu'à l'endroit où il avait passé la plus grande partie de son enfance à jouer au bord de la rivière avec les enfants des familles créoles et à manger du gumbo et de la jambalaya à la table de leurs mères. L'endroit heureux et ensoleillé qu'il avait tant aimé n'était plus qu'un marécage sombre rempli de souvenirs douloureux.

À la nuit tombante, il amarra son bateau au quai, marcha jusqu'à un grand cottage créole en bois où habitait Julian LaPonde et frappa à la porte. Pas de réponse.

— Julian, lança-t-il après un moment, c'est Roy. Il faut que je te parle.

Toujours pas de réponse, mais il entendit du mouvement à l'intérieur. Quelques secondes plus tard, quand il entendit le bruit caractéristique d'un fusil que l'on arme, il sut que c'était Julian de l'autre côté de la porte moustiquaire.

Roy fut soudain submergé par de vieux sentiments de rage et d'humiliation. La rage, parce que cet homme avait ruiné sa vie, et l'humiliation, parce qu'il devait lui demander une faveur plutôt que de faire ce qu'il aurait voulu – ouvrir la porte de force, traîner Julian dans la cour et le tuer à coups de pied. En continuant de frapper, il se sentit encore plus humilié parce que, sans raison valable, il se mit à pleurer. Debout, les larmes coulant sur son visage, il essaya de parler tout en retenant ses sanglots.

— Julian, je sais que tu ne peux pas me blairer et je te hais… mais je voudrais que tu regardes la photo de cette petite fille.

Il sortit la photo de Patsy et de Jack et la colla sur la moustiquaire pour que Julian puisse la voir.

— C'est une petite fille infirme, Julian, et elle doit partir demain pour subir une très grave opération. L'oiseau qui était son ami est mort la nuit dernière. Si elle l'apprend, je ne crois pas qu'elle va s'en tirer. J'ai besoin de ton aide.

Puis il s'effondra en sanglots sur le perron, comme un enfant de dix ans.

Julian, qui lui visait la poitrine avec son fusil et se préparait à tirer, hésita un instant. Il avait dû revoir en Roy le petit garçon qu'il avait déjà si bien connu. Après un moment, il abaissa lentement son fusil, s'approcha de la porte et regarda la photo.

— Je t'ai prévenu... dit-il à Roy avec son accent créole prononcé, que je te tuerais si jamais tu revenais ici.

— Je sais, soupira Roy. Tu peux me tuer après si tu veux, je m'en fiche, mais ce soir tu dois m'aider. Je te paierai tout ce que tu voudras.

Julian le regardait fixement sans bouger. Il voyait que les années avaient passé et que Roy était maintenant un homme. Tout ce que Roy remarqua, dans le crépuscule, c'était que l'épaisse chevelure, noire et bouclée, de Julian était maintenant grise. Pendant qu'ils étaient debout face à face et que Roy continuait à presser la photo de Patsy et de Jack sur la moustiquaire, Roy entendit une voix de femme venir de l'intérieur.

— Laisse-le entrer.

— Eh bien... grogna Julian après un moment d'hésitation, je vais le faire pour la petite fille, pas pour toi, tu comprends?

Roy acquiesça.

— Alors, tu peux entrer, dit-il rudement.

— Bonjour, Roy, dit quelqu'un quand il entra dans la pièce.

Une fois que ses yeux se furent habitués à la faible lumière, il vit une femme assise, encore plus belle que la dernière fois où il l'avait vue, bien des années auparavant. C'était Marie.

Le temps n'avait rien changé à ses sentiments envers elle et, à voir son regard, elle semblait ressentir la même chose.

Au lever du soleil, Julian entra dans la cuisine et tendit le corps de Jack à Roy. Il avait travaillé toute la nuit et il avait bien réussi. Toutes les plumes de Jack avaient été soigneusement nettoyées et gonflées et ses yeux étaient brillants. D'une façon ou d'une autre, Julian avait transformé le pauvre oiseau mort pour lui donner l'air d'être vivant. Même la façon dont il lui avait penché la tête de côté était caractéristique de Jack. Roy regarda Julian en hochant la tête.

— C'est encore mieux que tout ce que j'aurais pu espérer. Je ne sais pas quoi te dire, Julian, sinon merci.

Roy se leva et prit son portefeuille dans sa poche arrière.

— Combien te dois-je?

Les yeux de Julian flambèrent de colère.

— Je te l'ai dit, je l'ai fait pour la petite fille. À présent, va-t'en.

Roy regarda Marie, la salua d'un geste de la tête et retraversa la rivière à la rame avec son petit ami.

Ce que Roy ne savait pas, c'était que les Créoles avaient déjà entendu parler de la petite fille handicapée, nommée Patsy, et du cardinal qui vivaient de l'autre côté de la rivière. Leur curé avait assisté à un spectacle que Roy avait donné avec Patsy et Jack pour l'église catholique de Lillian. Quand il en avait parlé dans son sermon le dimanche suivant, tous les enfants créoles, qui n'avaient pas le droit de traverser la rivière, s'étaient mis à rêver de voir le cardinal et la fillette. Plus tard, quand le prêtre avait entendu parler du fonds de Patsy, il avait fait la quête pour elle à l'église et en avait envoyé le montant comme un don anonyme. Julian, qui avait le cœur de plus en plus dur avec les années et détestait tous les habitants de l'autre rive, n'avait pas sorti un sou de sa poche et en avait voulu à ceux qui avaient donné. Pourquoi s'intéressaient-ils à ces gens ? Il ne lèverait pas le petit doigt pour venir en aide à aucun d'entre eux. Mais, la veille au soir, en voyant par la porte moustiquaire Patsy lui sourire sur la photo, il avait changé d'idée. Il l'avait vraiment fait pour la petite fille.

Le départ

Le lendemain matin, dès son réveil, Patsy se mit à harceler Frances pour savoir quand elle pourrait voir Jack. N'ayant pas eu de nouvelles de Roy, Frances ignorait ce qu'elle devait lui dire. Vers huit heures, Roy était retourné au magasin où Oswald l'attendait avec son attirail de peinture. Environ une demi-heure plus tard, Oswald avait fini de peindre des taches rouges sur tout le visage de Roy, pour accréditer l'histoire de la rougeole. Roy téléphona enfin à Frances qui attendait impatiemment son appel. Elle répondit à la première sonnerie.

— Allo?

— C'est moi, dit Roy.

Frances fit mine de parler à l'un de ses anciens amoureux qu'elle n'avait pas vu depuis trente-sept ans et qui, dans les faits, était mort depuis six ans.

— Oh! bonjour, Herbert, quelle surprise d'avoir de tes nouvelles après tant d'années! Alors, tout va bien pour toi?

Au cas où Patsy entendrait la conversation, elle ne voulait pas prendre de risque.

Roy ignorait complètement qui pouvait être Herbert.

— Oui, dit-il, nous sommes prêts. Tu peux venir n'importe quand. Conduis-la jusqu'à la fenêtre, laisse le moteur en marche, ralentis, arrête-toi juste quelques secondes, puis repars.

— Oh! mon Dieu, s'écria Frances d'une voix aiguë. Ce sera probablement difficile.

— Je sais, mais je ne crois pas que nous puissions risquer plus que quelques secondes. Jack paraît bien, mais si elle l'observe trop longtemps, elle pourrait avoir des doutes.

— Je comprends parfaitement. Je vais faire de mon mieux, dit-elle à son interlocuteur imaginaire. Et, Herbert, je suis heureuse que tu ailles mieux. Eh bien, au revoir, et merci d'avoir appelé.

Dès qu'elle raccrocha, la sonnerie du téléphone la fit sursauter.

— Allo! dit Mildred. As-tu eu le message? Roy dit de passer devant, mais de ne pas t'arrêter longtemps.

— Oui, j'ai eu le message. Je n'ai pas le temps de te parler, Mildred. Je dois partir!

Avec l'opération imminente, et à présent l'histoire de l'oiseau, Frances se sentait très nerveuse. Elle se rendit dans la salle de bain et s'épila presque complètement les sourcils. Elle dut rapidement les tracer de nouveau avec un crayon noir, mais elle leur donna la forme de deux demi-lunes à l'envers.

— Doux Jésus! murmura-t-elle pour elle-même, j'ai l'air d'un personnage de bande dessinée, mais je ne peux rien y faire. Je suis déjà assez en retard.

Elle se poudra le nez et fit bouffer ses cheveux.

— Patsy, ma chérie, lança-t-elle, il est temps de partir.

Elle l'installa sur la banquette arrière de la voiture, avec un oreiller, pour qu'elle puisse s'allonger pendant le trajet.

— Pouvons-nous aller voir Jack maintenant ? demanda Patsy, l'air inquiet.

Frances fit mine de ne pas l'avoir entendue et donna un coup de klaxon pour prévenir Oswald de leur départ. Il sortit de chez lui, déposa sa valise dans le coffre arrière et monta dans la voiture.

— Bonjour, Patsy, dit-il du ton le plus dégagé possible.

Mais Frances s'aperçut qu'il était aussi angoissé qu'elle. Elle fit le tour de la voiture et s'installa au volant.

— J'espère que j'ai tout ce qu'il me faut, dit-elle. Je suis tellement nerveuse que je pourrais bien avoir oublié quelque chose. Tant pis. Nous devons partir tout de suite, sinon nous n'arriverons jamais à l'heure.

Elle baissa les yeux pour vérifier le niveau de l'essence.

— Parfait, le réservoir est plein.

Dieu merci, Butch l'avait rempli pour elle la veille. Avec tous ces événements, elle aurait oublié de le faire elle-même.

— Eh bien, dit-elle enfin, pour le meilleur ou pour le pire, allons-y.

Quand ils s'engagèrent dans la rue, Patsy parut inquiète.

— Puis-je aller voir Jack pour lui dire au revoir ? demanda-t-elle.

Frances la regarda dans le rétroviseur.

— Oh ! pour l'amour de Dieu. Dans toute cette agitation, j'allais oublier que tu voulais passer voir Jack, c'est bien ça ?

— Oui, m'dame.

— D'accord, nous allons passer, mais seulement une seconde.

Parfaitement immobile, Oswald craignait de bouger un seul muscle. Il ne put s'empêcher d'être impressionné quand Frances exécuta un virage parfait, contourna les pompes à essence et s'arrêta pile à cinq mètres de la fenêtre avant. Roy était debout et tenait, perché sur son doigt, Jack qui semblait aussi vivant et éclatant que toujours.

— Puis-je entrer ? demanda Patsy.

— Oh ! non, mon trésor. Roy a encore la rougeole. Regarde-le ! Tu ne peux pas t'approcher de lui. Pas juste avant de subir une opération. Fais-lui un signe de la main, ma chérie, dit-elle en appuyant sur l'accélérateur et en repartant.

Patsy se retourna et agita la main en direction de Jack, qui sautillait sur le doigt de Roy, jusqu'à ce que le magasin et le petit cardinal disparaissent au loin. Quand ils empruntèrent l'autoroute qui menait à Atlanta, Frances se félicita d'avoir mis des dessous-de-bras. Après leur départ du magasin, elle avait pensé que Patsy se plaindrait, mais la petite semblait se contenter pour l'instant d'avoir vu Jack, ne serait-ce que brièvement.

Quand ils eurent roulé un certain temps, Patsy sortit sa photo d'anniversaire avec Jack.

— Je vais revenir… sois sage en attendant, lui murmura-t-elle.

La grande ville

Après leur arrivée à Atlanta, quand ils eurent réglé l'admission de Patsy à l'hôpital, Oswald alla dans une cabine téléphonique. Il appela Roy pour lui dire que Patsy avait été dupe et qu'elle avait parlé à la photo de Jack pendant tout le trajet.

— Pour être franc, Roy, dit-il, même si je suis au courant de la mort de Jack, j'ai failli y croire moi-même en le voyant sur votre doigt. Je m'attendais presque à le voir s'envoler !

C'était vrai. Julian avait effectué un travail incroyable, la nuit précédente, et Jack avait vraiment fière allure.

— Même si tu l'ignores, tu as joué ton meilleur tour ce matin, mon ami, dit Roy à l'oiseau en le prenant dans sa main.

Après le coup de téléphone, il enveloppa soigneusement Jack dans un morceau de tissu blanc et le mit dans une boîte dont Jack aurait certainement rêvé comme cercueil. Ce serait leur dernière plaisanterie commune. Roy l'apporta ensuite au cœur de la forêt, creusa une fosse, plaça l'oiseau dedans et le recouvrit de terre. Quand il se releva, les yeux baissés vers l'endroit où son ami dormait à présent dans une boîte de Cracker Jack, une vieille chanson que son père chantait lui revint en mémoire.

Les nuits sont longues, depuis ton départ,
Je pense à toi tout le long du jour,
Mon ami, mon ami, ton ami s'ennuie de toi.

Roy se demanda comment un homme adulte, mesurant un mètre quatre-vingt-quinze, pouvait pleurer un être pas plus gros qu'une pomme de pin. Maudit Jack, pensat-il en s'éloignant, si tu étais là, je tordrais ton petit cou maigre.

Même s'il n'était pas un homme religieux, Roy souhaita ce jour-là qu'il existe quelque chose comme un esprit, qu'une petite partie de Jack ait réussi à s'échapper et soit maintenant là-haut, à voler en regardant en bas et en se moquant de toutes les pauvres créatures terrestres. Cela lui ressemblerait bien, songea Roy, qui leva les yeux en s'attendant presque à le voir.

Frances et Oswald se retrouvèrent à l'hôpital à six heures le lendemain matin et restèrent avec Patsy dans sa chambre pendant que des infirmières entraient et sortaient pour la préparer à la première opération. Oswald lui faisait des dessins, tentant de la distraire et de l'amuser, pendant que Frances essayait de lui expliquer ce qui s'en venait. Assise dans son lit, vêtue d'une chemise d'hôpital et de sa casquette, la fillette semblait un peu effrayée par toute l'agitation. Bientôt, après qu'une autre infirmière lui eut donné une piqûre pour la calmer, elle commença à se sentir somnolente. Le docteur Glickman ouvrit alors la porte.

— Bonjour, ma jeune dame, dit-il en s'approchant du lit. Comment vas-tu?

— Bien, répondit Patsy, un peu endormie.

— Les infirmières m'ont dit que tu as gagné deux kilos depuis la dernière fois que je t'ai vue. C'est magnifique, dit-il en souriant à Frances et à Oswald. Dans quelques minutes, poursuivit-il en se tournant vers Patsy, nous allons prendre le couloir pour t'amener dans une autre chambre et travailler un peu sur ta jambe, mais tu ne sentiras rien. Quand tu vas te réveiller, tout le monde sera ici à t'attendre.

Il prit la photo de Patsy et de Jack sur la table de chevet.

— Est-ce le fameux oiseau dont tu m'as parlé?

— Oui, monsieur, dit-elle avec un sourire ensommeillé.

— Eh bien, c'est une belle bête, dit-il en lui tapotant le bras. Et nous allons nous efforcer de te retaper le mieux possible pour que tu puisses rentrer à la maison très vite, d'accord?

— D'accord.

Quand Frances sortit avec le docteur Glickman pour lui poser quelques questions de dernière minute, une femme entra dans la chambre avec des papiers à signer et demanda à Oswald s'il était le père.

— Non, dit-il.

— Grand-père?

— Non, juste un ami. La dame que vous voulez voir est dans le couloir.

Quand Frances revint, ils examinèrent les papiers ensemble et elle signa à l'endroit réservé au GARDIEN LÉGAL, même si elle ne l'était pas. Elle venait de se parjurer sur un document officiel.

— Si je vais en prison, j'irai, c'est tout. Au moins, la jambe de Patsy sera guérie.

L'admiration qu'Oswald portait à Frances s'accrut encore pendant les longues heures d'attente. Aussi nerveux qu'un chat, il était incapable de rester en place. Il se mit à arpenter le couloir. Il avait une telle envie de prendre un verre qu'il aurait pu s'arracher les cheveux. Mais il ne pouvait pas abandonner Frances. Il se demanda pourquoi les infirmières ne donnaient pas une piqûre aux personnes qui attendaient la fin de l'opération pour les calmer un peu.

Pendant qu'il faisait les cent pas, Frances, calmement assise, priait en attendant.

Il tardait aussi à tout Lost River d'avoir des nouvelles.

L'après-midi, vers treize heures trente, quand Frances appela de l'hôpital pour annoncer la fin de la première opération, tout le monde apprit avec soulagement que, selon le médecin, Patsy s'en était bien tirée.

Ce soir-là, dans l'ascenseur, alors qu'ils allaient quitter l'hôpital, fatigués mais heureux, Frances dit à Oswald :

— Dieu merci, vous étiez avec moi. Je pense que je n'aurais jamais réussi à passer à travers toute seule.

Oswald avait eu la chance de se trouver une chambre dans un YMCA, à deux coins de rue de l'hôpital, et Frances vivait chez un cousin qui habitait Atlanta. Ils voulaient s'assurer de la présence quotidienne de quelqu'un au chevet de Patsy, au moins jusqu'après les deux autres opérations.

❖

Entre-temps, à Lost River, tous commençaient à saisir l'ampleur de la place que Jack avait tenue dans leur vie. Ils avaient pris l'habitude de le voir voleter, de l'entendre siffler et faire sonner les clochettes de sa roue en plastique. L'oiseau leur manquait beaucoup plus qu'ils ne l'auraient cru. Mais c'était Mildred qui était la plus abattue par sa disparition. Elle découvrit qu'elle aimait Jack autant que les autres, mais qu'elle n'en avait pas été consciente jusqu'à sa mort. Elle l'avait toujours aimé, mais elle n'avait pas su comment exprimer ses sentiments autrement qu'en se plaignant.

Une semaine après sa mort, elle se rendit au magasin, la tête basse.

— Roy, je viens m'excuser et te prier de me pardonner. J'ai tellement honte que je ne sais pas quoi faire.

— Pourquoi ? demanda Roy.

— Pour avoir été si méchante avec ce pauvre petit oiseau infirme, toujours à faire des histoires et à le menacer de la casserole, dit elle en regardant Roy, les larmes coulant sur son visage. Je ne sais pas pourquoi j'ai agi comme ça. Je l'aimais vraiment.

— Oh ! je le savais, Mildred, dit Roy, et lui aussi. Il savait que tu ne parlais pas sérieusement.

— Vraiment ?

— Bien sûr que oui. C'est pour ça qu'il te harcelait toujours.

Mildred leva les yeux.

— Tu penses ? demanda-t-elle d'un ton plein d'espoir.

— Oh ! J'en suis sûr. Sans aucun doute. Tu vois, Mildred, dit Roy en lui tendant son mouchoir, ce vieux

Jack était passé maître dans l'art de juger les gens, bien mieux que moi. Une fois, deux filles que je ne connaissais pas sont entrées. J'ai essayé de convaincre Jack de faire quelques tours pour elles, mais il s'y est refusé obstinément. Il se contentait de voleter, semblant très agité. J'étais vraiment en colère contre lui pour avoir agi ainsi jusqu'à ce que, plus tard, je constate que, pendant que je parlais avec une des filles, l'autre était dans l'arrière-boutique à me dérober jusqu'à mon dernier sou.

— Oh! non, s'exclama Mildred.

— Oh! oui, et Jack a essayé par tous les moyens de me prévenir. Il avait senti que c'étaient des crapules. Quelqu'un peut me tromper, mais on ne pouvait pas le tromper, lui. Je vais te dire, Mildred, le magasin me paraît bien vide sans lui. Je m'étais tellement habitué à sa présence que je n'ai jamais songé qu'il me quitterait et qu'il mourrait avant moi. Mais c'est la vie, n'est-ce pas? On s'attache à un être, puis on le perd. Heureusement que Patsy réussit à passer à travers ses opérations, sinon je ne sais pas ce que nous deviendrions par ici.

Au moins, Mildred rentra chez elle en se sentant un peu mieux. Cependant, avec la perte de Jack, elle comprit qu'elle ne voulait jamais plus perdre un être vivant sans lui avoir exprimé ses sentiments. Par la suite, elle terminerait toutes ses conversations téléphoniques avec Frances en ajoutant, avant de raccrocher:

— Je t'aime.

À l'hôpital

Après quelques semaines d'angoisse, tout le monde fut soulagé de voir Oswald et Frances revenir avec de bonnes nouvelles. Commençait maintenant la longue période fastidieuse que Patsy devait passer à l'hôpital, couchée sur le dos dans un plâtre. À partir de ce moment, tous les deux week-ends, les Polka dots se rendirent ensemble à Atlanta.

Malgré le plaisir qu'il éprouvait à voir Patsy, Oswald ne les accompagna qu'une seule fois. Cela lui suffit amplement. Assis dans une voiture remplie de femmes, coincé entre sa logeuse d'un mètre quatre-vingts et Sybil Underwood, obligé d'endurer leur bavardage incessant jusqu'à Atlanta, aller-retour, c'en était trop. Après ce voyage fatidique, il y alla uniquement avec Frances ou bien il demanda à Butch de l'y conduire. Parfois, le dimanche, il s'y rendait aussi avec Roy, et ils revenaient le soir même.

Chacun apportait à Patsy des jeux ou des livres illustrés pour essayer de la distraire. Oswald arrivait toujours avec de petits dessins qui la faisaient rire, en particulier celui qui le représentait dans la voiture avec toutes les femmes. Un jour où les Polka étaient en visite, elles apprirent avec surprise qu'une délégation du Gruyère royal venait tout juste de partir, après avoir offert à Patsy une magnifique courtepointe faite à la main, sur laquelle elles avaient inscrit PROMPT RÉTABLISSEMENT. Malgré leur satisfaction quant au geste du Gruyère royal, elles furent un peu dépitées. Quand Betty Kitchen eut examiné la courtepointe, elle ne put s'empêcher de réagir.

— Vous allez peut-être trouver que j'exagère, les filles, mais regardez ces petits points. Elles nous battent à plate couture aux travaux à l'aiguille.

Après avoir mis ses lunettes pour inspecter le dessus de lit de près, Dottie dut acquiescer.

— Peut-être, dit Mildred, mais vous devez cependant avouer que personne ne peut égaler le macaroni au fromage de Frances. Nous avons au moins cela, sans compter les îles flottantes.

— Et, ajouta Sybil, je sais qu'il est malséant de se vanter, mais il ne faudrait pas oublier l'aspic à la tomate.

— Ah! s'exclamèrent-elles en chœur.

Elles approuvèrent et se sentirent mieux. Patsy se mit à rire dans son lit. Frances s'approcha et lui pinça affectueusement le gros orteil.

— Qu'y a-t-il de si drôle, jeune demoiselle?

— L'aspic à la tomate, répondit-elle, prise d'un fou rire.

Vint enfin le jour où le plâtre fut enlevé. À présent, selon le médecin, commençait la partie la plus difficile, de longs mois de thérapie. L'objectif consistait à accroître quotidiennement la capacité motrice de Patsy pour l'amener enfin à se lever et à faire ses premiers pas. Mais il ne lui serait pas facile de recommencer à marcher. Elle devrait changer complètement sa démarche et entraîner de nouveau tous ses muscles. L'infirmière responsable de sa thérapie était une jolie femme aux yeux noirs, nommée Amelia Martinez, qui était impressionnée par les efforts fournis par Patsy, sans la moindre plainte, pendant d'épuisantes heures interminables d'exercices douloureux. Un jour, pendant que Patsy faisait des activités dans la piscine, Amelia prit Frances à part.

— Vous savez, madame Cleverdon, c'est la petite fille la plus courageuse avec laquelle j'ai eu l'occasion de travailler. Avec toutes les souffrances que nous devons lui infliger… eh! bien, je peux vous dire que j'ai vu des hommes adultes pleurer pour moins que cela. Le docteur Glickman m'a dit qu'il n'avait jamais vu quelqu'un progresser aussi vite de toute sa vie. Cette enfant veut guérir et rentrer à la maison, dit-elle avec un sourire en adressant un signe de la main à Patsy.

Pendant la thérapie de Patsy, tout le monde vint la voir aussi souvent que possible et, quand ils ne pouvaient se rendre en personne, ils lui envoyaient des cartes et des lettres qu'Amelia lui lisait. C'est ainsi que l'infirmière connut bientôt tous les habitants de Lost River. Chaque fois que Frances et Oswald rendaient visite à Patsy, ils étaient heureux de la voir s'améliorer autant, mais sa première question était toujours la même.

— Comment va Jack?

— Il va bien, répondaient-ils évidemment, tout en se sentant coupables.

Mais que pouvaient-ils faire d'autre? Tout ce qui importait pour l'instant, c'était qu'elle progressait. Tous les exercices qu'elle effectuait chaque jour étaient douloureux et épuisants, mais ils commençaient à produire des effets. Elle était maintenant capable de marcher quelques mètres sans appui. Du point de vue de la fillette, chaque nouveau pas la rapprochait du retour à la maison et de Jack.

LE LONG DE LA RIVIÈRE
Le bulletin d'informations
de l'Association communautaire de Lost River

L'automne est parmi nous, et il est difficile de croire que le temps court si vite. On dirait que l'été est arrivé hier à peine, mais tempus fugit, *comme on dit, et la fête de l'Action de grâce est à nos portes. Notre communauté a d'ailleurs bien des raisons de rendre grâce cette année. Les nouvelles en provenance d'Atlanta sont toujours très encourageantes et la thérapie de Patsy continue de porter ses fruits. Tout vient à point à qui sait attendre, et nous avons tous hâte que notre mademoiselle Patsy soit de retour parmi nous. N'oubliez pas de commencer à préparer le repas et de mettre en train les tartes à la citrouille et les dindes !*

Dottie Nivens

À mesure que les jours passaient, l'avenir de Patsy s'annonçait de plus en plus prometteur. Amelia continuait de rapporter qu'elle accomplissait de grands progrès. Même Mildred semblait plus heureuse. Mais, comme il arrive souvent, le sort la prit par surprise sous la forme d'une lettre de son vieil amoureux perdu, Billy Jenkins. Il lui écrivait qu'il était maintenant veuf et qu'il aimerait beaucoup la revoir. Fait encore plus surprenant, elle annonça à Frances qu'elle se rendrait en voiture à Chattanooga pour le voir. C'était la dernière chose au monde à laquelle Frances se serait attendue de la part de Mildred. Mais, comme elle le disait souvent, avec sa sœur, on ne savait jamais à quoi s'attendre d'une minute à l'autre.

Elle était partie le vendredi, et on était déjà le mardi. Frances, qui n'avait reçu aucune nouvelle de tout ce temps, se demandait quoi penser. Puis, vers seize heures ce même après-midi, la voiture de Mildred tourna dans l'allée. Dans sa hâte de revoir sa sœur, elle ouvrit la porte à la volée, sans frapper.

— Frances, je suis de retour, cria-t-elle.

Dès que Frances la vit, elle sut que quelque chose d'important s'était passé. Mildred était rayonnante dans un nouveau tailleur-pantalon lavande. Depuis des années, elle n'avait jamais eu l'air si jeune et si jolie.

— J'ai des nouvelles ! s'exclama-t-elle, le visage écarlate.

Frances sentit son cœur battre à grands coups.

— Oh ! mon Dieu. Devrais-je m'asseoir ? demanda-t-elle avant de le faire de toute façon.

— Eh bien, je l'ai vu, annonça Mildred quand sa sœur fut assise.

— Et…

— Et, Frances, je suis la femme la plus fortunée du monde !

Frances porta la main à sa bouche.

— Oh ! mon Dieu. Je n'arrive pas à y croire, après toutes ces années.

— Je ne le crois pas non plus. Je me suis débarrassée d'un boulet. Je remercie le bon Dieu que cet idiot ait eu le trac et que je ne me sois pas retrouvée prise avec lui. Cet homme est un imbécile fini. Je ne comprends pas ce que j'ai déjà pu lui trouver.

— Quoi?

— Tu ne sais pas ce qu'il voulait? Il voulait une infirmière et une cuisinière, et il a même eu le culot de me demander si ma maison était grande et combien d'argent je recevais chaque mois de la Sécurité sociale. Il m'a ensuite montré une photo de ses six filles et, Frances, c'est le groupe de femmes les plus laides que j'aie vues de ma vie. Elles lui ressemblent toutes et sont mal habillées. Quand j'ai vu ça, j'ai pensé que j'aurais pu être en train de regarder ma propre progéniture. Il a enfin voulu savoir si j'avais de la place pour sa petite-fille, qui sort d'une cure de désintoxication, et pour ses quatre enfants, qui seraient venus vivre avec nous. «Ils ont besoin d'une mère», m'a-t-il dit.

Frances était sidérée.

— Oh! ma parole! Que lui as-tu dit?

— Je lui ai dit: «Billy, tu m'as brisé le cœur et tu as ruiné ma vie. À présent que tu es vieux et usé, tu veux que je te reprenne, que je te laisse t'installer chez moi et que je fasse la cuisine et le ménage pour six personnes? Eh bien, tu vas devoir chercher encore un peu pour trouver une femme assez folle pour ça, parce que ce ne sera pas moi.» Et je suis partie.

— Mildred, dit Frances, j'espère que tu n'es pas trop déçue. C'était peut-être mieux pour toi de le revoir.

— Je ne suis pas du tout déçue, je me sens super bien.

Après le départ de Mildred, Frances réfléchit au cours étrange qu'avait suivi la vie de sa sœur. À cinquante et un ans, elle s'était enfin débarrassée de Billy Jenkins une fois pour toutes. Peut-être maintenant, mais ce n'était vraiment pas certain, serait-elle capable de voir combien Oswald était gentil. Non seulement était-il gentil, mais il avait du talent. Après tout, il y avait possiblement de l'espoir pour eux deux. Frances s'était beaucoup attachée à Oswald au cours des semaines précédentes et elle ne pouvait trouver personne qu'elle préférerait avoir comme beau-frère. Elle se mit immédiatement en mode réflexion pour découvrir une façon de faire avancer les choses. Il ne s'agissait pas de se mêler des affaires des autres, mais tout le monde a besoin d'un peu d'aide à l'occasion, songea-t-elle.

Frances prévoyait un autre dîner pour Oswald et Mildred dès qu'Oswald et elle seraient revenus de leur prochain voyage à Atlanta, mais quelque chose de beaucoup plus important se produisit. Pendant leur visite, Amelia expliqua de nouveau combien elle était satisfaite des progrès de Patsy, qui allait mieux de jour en jour.

— Mais, ajouta-t-elle, je sais par expérience que, lorsqu'un enfant espère ardemment retrouver quelque chose, ça fait toute la différence du monde. Elle ne cesse de parler de rentrer à la maison pour voir son ami Jack.

En entendant cela, le cœur de Frances ne fit qu'un tour, et Oswald se sentit mal. Frances ne dit pas à Amelia que l'oiseau était mort, mais ce n'était qu'une question de temps avant que Patsy revienne à la maison et qu'elle se rende au magasin en s'attendant à y voir Jack. Quand il était mort si subitement, ils avaient tous été inquiets de la façon dont cela l'affecterait avant de subir ses opérations. Ils avaient maintenant un autre problème sur les bras.

À leur retour à Lost River, une réunion spéciale des Polka dots fut convoquée, à laquelle on demanda à Oswald d'assister, le deuxième homme à jamais y être admis. Comme on allait discuter du cas de Patsy, Frances estimait qu'il avait mérité ce privilège.

Dottie parla la première.

— Nous ne pouvons pas la laisser revenir à la maison puis, quand elle sera là, lui annoncer qu'il est mort. Nous devons au moins la prévenir.

— Peut-être devrions-nous donner un grand coup et lui dire la vérité, suggéra Mildred.

— Quelle vérité? demanda Frances. Que tout le travail pénible qu'elle a accompli, pensant retrouver Jack à son retour ici, n'a servi à rien?

— Écoutez, dit Betty, il lui reste encore six semaines de thérapie. Peut-être que si on lui fournit seulement un petit indice, pour atténuer le coup, ce sera moins difficile pour elle.

— Comment pouvons-nous adoucir le coup? En prétendant qu'il est malade?

— Non, c'est impossible, intervint Oswald. Je connais Patsy, et cela ne ferait que l'inquiéter.

— Il a raison, dit Frances.

Après moult discussions, ils se décidèrent enfin. On lui écrirait une lettre le plus tôt possible et, à cause de ses antécédents littéraires, ce serait Dottie qui la rédigerait. Et ce serait son infirmière, Amelia, que Patsy aimait tant, qui la lui lirait à haute voix.

Quand la missive fut prête, Butch se rendit à Atlanta dans son camion, la remit en mains propres à Amelia Martinez, puis s'enfuit comme un voleur. Le même après-midi, après la thérapie, Amelia s'assit à côté du lit de Patsy et lui lut la lettre à haute voix.

Chère Patsy,

Je t'écris au nom de tous tes amis ici, à Lost River, pour t'annoncer la plus merveilleuse nouvelle ! Environ une semaine après ton départ, un homme est venu au magasin et il a examiné Jack. En l'occurrence, c'était un super vétérinaire spécialisé dans le traitement des oiseaux blessés. Après son examen, il a affirmé à Roy qu'il pourrait réparer l'aile de Jack. Il l'a emmené à sa clinique, et c'est exactement ce qu'il a fait, comme ton médecin l'a fait pour toi. Quand il est revenu, tu peux imaginer combien nous étions tous heureux de voir Jack voler partout dans le magasin, complètement rétabli. Nous souhaitions attendre ton retour pour que tu sois là, avec nous, le jour où nous lui rendrions sa liberté, mais le docteur a dit que c'était mieux de le laisser partir. Au moment où nous avons eu l'assurance qu'il était assez fort, nous nous sommes réunis au magasin et, dès que Roy a ouvert la porte, il s'est envolé directement au sommet du grand cèdre de l'autre côté de la rue. Patsy, nous aurions tant voulu que tu sois là avec nous pour le voir ! Jack avait l'air si heureux d'être libre, de voler là-haut dans le ciel et de se retrouver dans la nature, avec ses amis. Tout aussi heureux que nous le serons quand tu seras de retour ici, parmi tes amis qui t'aiment. Évidemment, nous trouverons tous difficile de ne plus voir Jack dans le magasin, mais madame Underwood a dit l'autre jour qu'elle l'avait aperçu, l'air en bonne santé

et bien en chair, perché sur une branche avec
une amie femelle. Qui sait? Nous verrons peut-
être bientôt une bande de petits Jack voler par
ici. Nous espérons tous que tu seras de retour
très bientôt et, comme Jack, en bonne santé,
heureuse et complètement rétablie!

     Nos meilleurs vœux,
     Dottie et tous tes amis de Lost River

Ni Sybil Underwood ni personne d'autre n'avait aperçu un cardinal depuis la mort de Jack.

— Je vais devoir me convaincre que le bon Dieu va me pardonner pour avoir menti cette seule fois, dit Dottie. Et s'Il ne le fait pas, Il n'arrive pas à la cheville de la personne que je croyais qu'Il était.

— Eh bien, ce sont de bonnes nouvelles, n'est-ce pas? dit Amelia quand elle eut fini de lire la lettre à Patsy. Ton petit ami oiseau est complètement guéri et rétabli, exactement comme tu vas l'être. Es-tu heureuse?

Mais Patsy n'avait pas l'air heureuse. Elle paraissait inquiète et bouleversée. Elle se rappelait précisément les propos de Roy sur les raisons pour que Jack ne sorte pas à l'extérieur, et cela lui faisait peur.

— Oh! Amelia, vous ne pensez pas qu'un faucon ou un hibou vont l'attraper, n'est-ce pas?

Et alors, pour la première fois depuis son arrivée à l'hôpital, elle se mit à pleurer.

Amelia était affolée.

— Qu'y a-t-il? demanda-t-elle.

— Je veux retourner à la maison. Je veux voir Jack.

❖

Deux semaines plus tard, Frances était dans la cuisine quand le téléphone sonna.

— Madame Cleverdon, c'est le docteur Glickman.

— Oui, docteur ?

— J'ai l'impression que nous avons un petit blocage ici. Je crois que vous devriez venir à Atlanta le plus tôt possible.

Frances et Oswald quittèrent Lost River à cinq heures le lendemain matin et se retrouvèrent assis dans le bureau du docteur Glickman à onze heures trente.

— Que s'est-il passé ? demanda Frances.

— Voyez-vous, le principal problème est qu'elle ne marque plus de progrès. Je dirais même que sa condition semble se détériorer. Nous avons fait tout notre possible, mais c'est comme si elle avait perdu sa volonté de guérir, et sans cela, toute la médecine et toute la thérapie du monde sont inutiles.

— Oh ! non, que pouvons-nous faire ?

— Au point où on en est, tout l'argent que vous dépensez pour la garder ici est un gaspillage, alors je vous recommande de la ramener à la maison, de lui laisser une période de repos.

— Est-elle prête à partir ? demanda Oswald, surpris.

— Non, elle n'est pas prête physiquement. Elle a encore besoin de beaucoup de thérapie pour progresser au-delà du stade où elle est aujourd'hui. Je n'aime pas laisser sortir un patient qui n'est pas parfaitement guéri, mais dans ce cas il semble que Patsy ait perdu le goût de s'améliorer… elle faisait pourtant tellement de progrès. Avez-vous une idée de ce qui a pu la rendre ainsi ?

Frances regarda Oswald, puis le médecin.

— Je pense qu'elle a simplement le cœur brisé au sujet d'un oiseau.

— Parlez-vous de l'oiseau qui se trouve sur la photo qu'elle garde toujours avec elle? demanda le médecin.

— Oui, un petit cardinal infirme.

— Alors, peut-être qu'une rencontre avec lui pourrait lui remonter le moral, dit le médecin, d'un ton plein d'espoir. Nous pouvons au moins essayer. Pouvez-vous imaginer une façon d'amener cet oiseau ici?

— Non, dit Oswald. C'est le problème. L'oiseau est mort.

— Oh! je vois, dit le docteur Glickman. Et vous le lui avez appris?

— Non, répondit Frances, nous avions peur de lui dire la vérité. Nous lui avons donc menti et annoncé qu'un vétérinaire avait guéri Jack et qu'il s'était envolé. Je le regrette, mais nous l'avons fait.

— Nous ne savions pas quoi faire d'autre, dit Oswald.

Le docteur Glickman regarda les deux personnes angoissées assises en face de lui.

— Ne soyez pas trop durs envers vous-mêmes. Au moins, pour le moment, elle peut toujours croire qu'il est vivant quelque part. C'est une chose à laquelle elle peut s'accrocher. Ensuite, peut-être qu'avec le temps elle va s'en remettre et que nous pourrons la ramener ici pour terminer ce que nous avons commencé.

— Combien de temps? demanda Frances.

Le docteur Glickman hocha la tête.

— Pas beaucoup, je le crains. Ma préoccupation est que, sans thérapie continue, les muscles vont s'affaiblir,

la jambe va avoir tendance à retrouver son ancienne posi-
tion et tout notre travail n'aura servi à rien. Espérons que
nous pourrons la faire revenir tout de suite après Noël.

Patsy, qui leur parut plus maigre que lors de leur
dernière visite, fut si excitée quand ils lui apprirent
qu'elle rentrait à la maison qu'elle voulut s'en aller aussitôt. Amelia, désolée de la voir partir, l'aida quand même
à faire sa valise. Quand ils l'amenèrent jusqu'à la voiture
en fauteuil roulant, Amelia lui fit au revoir d'un signe de
la main, en souhaitant son retour, mais sans trop y croire.

Patsy babilla joyeusement avec sa photo de Jack
pendant tout le trajet jusqu'à Lost River, pendant
qu'Oswald et Frances se rongeaient les sangs.

De retour à la maison, elle était encore faible et ne
pouvait pas marcher beaucoup. Elle devait rester à l'intérieur presque tout le temps. Tout le monde faisait son
possible pour lui remonter le moral, mais tout ce qu'elle
voulait, c'était aller à la recherche de Jack. Frances essayait de la raisonner.

— Ma chérie, Jack est probablement parti loin, occupé avec sa propre famille, et il pourrait bien ne jamais
revenir.

Mais Patsy refusait de se laisser convaincre.

— Monsieur Campbell dit que, quand on veut vraiment quelque chose très fort, ça arrive, et je veux vraiment très fort revoir Jack.

Chaque jour, Patsy se levait en pensant qu'elle le
verrait et elle était toujours déçue, mais elle n'en disait
rien. Les jours de pluie, elle restait assise dans sa chambre, à regarder par la fenêtre, espérant l'apercevoir.

Frances ne pouvait pas lui dire la vérité. Le docteur Glickman avait affirmé que c'était bon pour elle d'avoir de l'espoir, même si c'était seulement un faux espoir. Avec la fête de Noël qui approchait, Frances souhaitait aussi autre chose : que ce soit une distraction pour Patsy et que cela lui permette d'arrêter enfin de penser à l'oiseau une fois pour toutes.

— Ce sera le premier Noël de Patsy avec nous, dit-elle à Mildred, et, peu importe l'opinion des gens, je vais la gâter autant que je pourrai.

Jour après jour, Claude remontait la rivière et apportait des colis de Noël pour Patsy, venant de tous les magasins qui avaient un catalogue. Des peluches, des livres, des jeux et des vêtements arrivaient quotidiennement et Mildred, qui faisait un peu de couture à l'occasion, était en train de lui fabriquer une douzaine de poupées à l'aide de chaussettes pour décorer son lit.

Trois jours avant Noël, après la décoration de l'Arbre mystère, Dottie appela Frances.

— Il faut absolument que je te voie tout de suite.

Frances se rendit au bureau de poste et Dottie, l'air lugubre, lui tendit une lettre qu'elle venait juste de retirer de la boîte des lettres adressées au père Noël. Frances reconnut immédiatement le griffonnage enfantin.

Chèr Paire Noël,
S'il vous plaît, laicé-moi voir Jack. J'ai peur il est blaissé. Je veux pas de cados. J'ai été une bonne fille je jure. Je vis à présen chez madame Cleverton. C'est la mèzon bleu près du buro de poste.
Je vous aime, votre amie Patsy.

La première fois qu'elle assistait à un dîner de veille de Noël à la salle communautaire avec sa propre enfant n'apporta pas à Frances tout le bonheur qu'elle avait imaginé. Un nuage assombrit toute la soirée. Quand le père Noël appellerait Patsy pour lui remettre son cadeau, ce ne serait pas la chose qu'elle voulait le plus au monde. Frances et Oswald avaient le cœur brisé parce qu'ils ne pouvaient ni l'un ni l'autre lui donner ce dont elle rêvait. Cette année-là, même l'illumination de l'arbre fut un échec. Au moment où Butch ouvrit l'interrupteur, il y eut un bref éclair, une explosion, puis plus rien. Quand ils partirent, Butch n'avait toujours pas réglé le problème. Pourtant, malgré le fiasco de l'arbre, Patsy était joyeuse en revenant à la maison. Elle ne l'avait dit à personne, mais elle était persuadée qu'elle verrait Jack le lendemain et elle avait hâte. Elle s'endormit, sa photo dans la main.

Un autre Noël

Le matin de Noël, Patsy se réveilla tôt. Quand elle entra dans la cuisine, tout excitée, elle était déjà habillée pour la journée.

— Je vais voir Jack aujourd'hui, je sais que je vais le voir!!!!! affirma-t-elle à Frances, qui se crispa.

— Écoute, ma chérie, n'y compte pas trop, il est peut-être parti ailleurs avec sa famille. Pourquoi n'ouvres-tu pas tes cadeaux? C'est le matin de Noël!

— Je peux attendre plus tard? Après que j'aurai vu Jack?

— Mais, mon trésor, c'est le matin de Noël que tu es censée les déballer. Si j'avais autant de cadeaux, je serais incapable de patienter plus longtemps. Mildred va venir te voir plus tard. Par ailleurs, je ne crois pas que tu sois assez forte pour sortir toute seule.

Mais Patsy ne l'écoutait pas et, dès qu'elle eut terminé son petit-déjeuner, elle sortit sans avoir ouvert ses présents.

À l'arrivée de Mildred, Frances était seule dans la salle de séjour, l'air bouleversé et inquiet.

— Où est Patsy?

— Elle est partie à la recherche de Jack. Elle est sortie il y a une heure en disant qu'elle était certaine de le voir aujourd'hui.

— Oh! non. Il faut que quelqu'un finisse par lui dire la vérité. On ne peut pas laisser cette petite fille errer toute la journée, convaincue qu'elle va retrouver cet oiseau.

— Eh bien, si tu veux lui briser le cœur le jour de Noël, vas-y. Moi, j'en suis incapable. Il aurait fallu le faire plus tôt. Mais je pensais qu'elle finirait par l'oublier.

Mildred s'approcha de la fenêtre pour regarder à l'extérieur.

— Oh!... elle est là. Dans le jardin de Betty. Je vais te dire, Frances, c'est le pire Noël de ma vie. Voilà ce qui arrive quand on ment. Je ne le ferai plus jamais. Si elle finit par découvrir ce que nous avons fait, poursuivit-elle en se retournant vers Frances, l'air effrayé, elle va grandir en nous haïssant. Elle sera marquée pour la vie! Peut-être deviendra-t-elle même une criminelle. Elle pourrait un jour sortir de ses gonds et revenir pour nous tuer tous dans nos lits pour lui avoir fait ça, et ce sera entièrement de notre faute.

— Oh! pour l'amour de Dieu, Mildred, tu dois arrêter de lire ces affreux romans. Les choses vont déjà assez mal sans que tu en remettes.

Le temps même était maussade. Les nuages étaient lugubres. Le ciel bleu et le soleil, toujours là à Noël, avaient faussé compagnie aux gens de Lost River.

❖

Dans la maison voisine, assis dans sa chambre, Oswald réfléchissait au concept étrange du temps et au fait qu'il y en avait toujours trop ou alors jamais assez. Avant le diagnostic de son médecin, le temps était simplement un cercle qui faisait tic-tac à son poignet et sur lequel il jetait un coup d'œil à l'occasion, pour voir s'il était tard ou tôt. Maintenant, quand il repensait à sa vie, il avait l'impression d'en avoir passé la plus grande partie à attendre quelque chose. Enfant, à attendre d'être adopté. Puis à attendre de grandir. D'être guéri d'un rhume ou de la fracture d'un membre. De rencontrer la bonne jeune fille, de découvrir la bonne profession, de trouver un peu de bonheur, une raison de vivre, jusqu'à ce qu'il ne lui reste plus de temps. À présent, il avait fini d'attendre, il avait trouvé ce qu'il cherchait depuis longtemps. Il avait découvert la peinture, et il était trop tard. Quelqu'un devait lui avoir jeté un mauvais sort. Et cette année, sans doute sa dernière, Patsy, tout comme lui, attendait aussi une chose qui n'arriverait jamais. Par sa fenêtre, il l'avait regardée marcher dans le jardin, à la recherche d'un oiseau mort qu'elle ne reverrait plus, et cela l'avait rendu fou. Cette enfant allait avoir le cœur brisé. Lui, c'était différent, il était coriace, mais elle ne méritait pas cela. Assis, il observait le tableau sur lequel il avait travaillé toute l'année, qui représentait Patsy et Jack le jour de leur anniversaire. Il avait voulu l'offrir à la fillette pour Noël, mais une fois de plus, c'était trop tard. Elle ne voulait pas un portrait, elle voulait voir le vrai Jack, et Oswald, de son côté, avait envie de s'enivrer. Il connaissait tous les dangers du premier verre, mais il s'en fichait. Il se sentait incapable de supporter la douleur de voir Patsy grandir en se rendant compte que rien n'est vrai. Il n'y a pas de Dieu. Pas de père Noël. Pas de dénouements heureux. Les choses meurent. Rien ne dure.

Il n'y avait rien qu'il pouvait faire pour la protéger de cela. Si Dieu avait existé, ce matin-là, il aurait voulu Lui donner un coup de poing sur Son gros nez de menteur.

L'après-midi, Oswald fit de l'auto-stop jusqu'à Lillian, entra dans le bar des vétérans et prit un tabouret à côté d'un homme, coiffé d'une casquette de John Deere, qui buvait une Budweiser. Assis dans cette pièce sombre remplie de fumée de cigarette, de relents de bière et de la mauvaise musique d'un juke-box, Oswald commença à éprouver une sensation familière. Il était retourné là où il devait être. Il avait enfin retrouvé son chez-soi.

Il fit un signe au barman.

— Je vais prendre une Budweiser, et donnez-en aussi une à mon ami ici.

— Merci, camarade. Joyeux Noël, dit le type.

— Joyeux Noël à vous aussi, camarade, dit Oswald.

Frances avait attendu le retour de Patsy toute la journée. Vers seize heures trente, alors que le jour baissait, elle décida de partir à sa recherche et finit par la trouver dans la forêt derrière le magasin. Même si celui-ci était fermé pour Noël, Patsy, au prix de grands efforts, avait réussi à s'y rendre, convaincue que Jack pourrait y être.

— Chérie, il faut rentrer à la maison à présent. Tu n'es pas encore assez forte pour rester dehors aussi longtemps. Le temps fraîchit et tu n'as même pas de pull-over. Tu sais que le docteur ne veut pas que tu prennes froid.

Mais Patsy refusa d'abandonner. Elle tenait à persévérer tant qu'il y aurait encore un peu de lumière du jour.

— Je peux rester dehors encore un petit peu ? S'il vous plaît ?

Frances n'eut pas le courage de l'obliger à rentrer.

— D'accord, encore juste un petit peu. Mais enfile ça pour me faire plaisir.

Elle retira son tricot rose, le mit à Patsy et le boutonna.

— Je veux que tu reviennes dès qu'il fera noir. M'entends-tu ?

— Oui, m'dame.

— Tu n'as toujours pas déballé tes cadeaux. L'as-tu oublié ?

— Non, m'dame.

Elle semblait si petite et si fragile, dans le cardigan rose qui lui arrivait aux genoux, que Frances faillit éclater en sanglots en retournant chez elle.

Mildred avait raison. C'était le pire jour de Noël de toute sa vie.

Environ une heure plus tard, Frances entendit Patsy monter l'escalier et alla l'accueillir à la porte. Elle avait allumé toutes les lumières de Noël et lui avait préparé un chocolat chaud et des biscuits.

— Tiens, te voilà enfin ! Le père Noël t'a laissé tout plein de cadeaux, tu devrais venir voir ce que c'est. Ce sera amusant.

Frances avait espéré que les présents lui remonteraient le moral, et Patsy fit son possible pour paraître surprise et heureuse devant chaque cadeau qu'elle déballait. Mais Frances s'apercevait bien que rien, ni les poupées, ni les peluches, les jeux ou les vêtements neufs, ne pouvaient guérir sa déception. Pour Patsy, ce qui importait vraiment, c'était que le jour de Noël tirait à sa fin, et qu'elle n'avait pas vu Jack.

Ce soir-là, alors que Patsy dormait, le téléphone sonna. C'était Betty Kitchen.

— Comment va Patsy?

— Très mal, je le crains.

— C'est bien ce que je pensais. Monsieur Campbell est-il là?

— Non, je ne l'ai pas vu de la journée. Pourquoi?

— Il n'est pas venu manger son dîner de Noël, alors je me demandais s'il était avec toi. Tu sais que ça ne lui ressemble pas de sauter un repas.

Un peu après minuit, Oswald, complètement ivre, était tombé en bas de son tabouret. À minuit quarante-cinq, Betty fut réveillée par des coups violents sur la porte. Elle sortit de son placard, enfila un peignoir et se dirigea vers l'entrée. Un bon Samaritain, coiffé d'une casquette de John Deere, tenait Oswald sur ses épaules.

— Je m'excuse de vous déranger, m'dame, dit-il en portant un doigt à sa casquette, mais je crains qu'il ait fêté Noël un peu trop fort. Où voulez-vous que je le dépose?

Betty n'avait jamais vu Oswald prendre un verre auparavant, mais elle avait déjà souvent eu affaire à des hommes soûls.

— Entrez-le simplement. Il ne sert à rien de le traîner jusqu'en haut ce soir. Mettez-le dans mon lit, et je m'occuperai de lui demain.

L'homme, qui avait manifestement abusé de l'alcool lui-même, se rendit jusqu'au placard et coucha Oswald sur le lit de Betty.

— Joyeux Noël et bonne nuit à tous, dit-il en partant.

Betty enleva ses chaussures à Oswald, le couvrit et ferma la porte. Elle monta l'escalier sur la pointe des pieds, se rendit dans la chambre inoccupée et se coucha en songeant que c'était vraiment le pire Noël de toute sa vie. Patsy avait eu le cœur brisé, sa mère avait mangé presque tous les fruits en cire du bol sur la table de la salle à manger et, à présent, son pensionnaire venait de rentrer soûl mort.

Bon Dieu, quoi encore? se demanda-t-elle.

Betty ne mit pas longtemps à le découvrir. Vers cinq heures quarante-cinq le lendemain matin, les hurlements commencèrent. Debout dans le corridor, la mère de Betty, mademoiselle Alma, appelait sa fille à grands cris.

— Betty! Betty! Lève-toi! Lève-toi! Mes camélias s'envolent des arbustes. Au secours! Betty!

Betty s'éveilla et entendit sa mère hurler dans le couloir, mais elle était si fatiguée – elle avait mal dormi – qu'elle resta couchée en espérant que sa mère abandonne et retourne dans son lit. Mais pas de chance. La vieille dame continua de rentrer et de sortir bruyamment de sa chambre en criant à tue-tête. Finalement, la pauvre Betty se leva et se rendit dans le couloir pour tenter de calmer sa mère.

— Là! là! maman, tout va bien. Retourne te coucher. Il n'y a pas de problème, tu as seulement fait un cauchemar.

Mais mademoiselle Alma ne voulait pas se calmer Elle saisit sa fille par le poignet, l'entraîna dans sa chambre et lui montra la fenêtre.

— Regarde! s'écria-t-elle. Regarde, les fleurs s'en vont! Va les chercher!

Betty soupira.

— Voyons, maman, calme-toi. Tu vas réveiller monsieur Campbell. Retournons nous coucher.

Mademoiselle Alma continuait de pointer son index vers la fenêtre.

— Regarde, regarde, regarde! dit-elle en sautillant.

— D'accord, maman, dit Betty.

Seulement pour l'apaiser, elle s'approcha de la fenêtre, regarda dehors et n'en crut pas ses yeux. Pratiquement à la même heure, dans la maison voisine, Patsy s'asseyait dans son lit et appelait Frances à grands cris.

— Madame Cleverdon! Madame Cleverdon!

Ses cris effrayèrent Frances, qui se précipita vers sa chambre. Quand elle ouvrit la porte, elle vit Patsy, les yeux brillants, qui sautillait devant la fenêtre.

— Je l'ai vu, je viens juste de voir Jack! Il était ici! Je savais qu'il viendrait!

— Où l'as-tu vu?

— Ici. Il a atterri juste sur le rebord de ma fenêtre et il m'a fait un clin d'œil. Je sais que c'était lui. Il est revenu!

Frances s'approcha elle aussi de la fenêtre. Stupéfaite, elle faillit perdre le souffle. Même s'il faisait à peine jour à l'extérieur, elle constata que tout le jardin et tous les arbres étaient complètement couverts de neige!

Partout où elle jetait les yeux, aussi loin que portait son regard, tout était absolument blanc, jusqu'à ce qu'elle voie tout à coup un éclair rouge vif passer devant elle, puis deux, puis quatre. En se penchant pour regarder en bas, elle vit que le sol était couvert de gros camélias rouges qui avaient dû tomber de leurs arbustes. Ce ne fut qu'au moment où elle en vit un s'envoler qu'elle se rendit compte que le jardin grouillait de cardinaux !

De son côté, Betty Kitchen dévalait l'escalier, ses gros bras levés au ciel, en criant.

— Oh ! mon Dieu, oh ! mon Dieu, oh ! mon Dieu ! Levez-vous, monsieur Campbell !

Oswald ouvrit les yeux et s'assit dans le petit placard sombre. Sa tête heurta aussitôt une tablette. Il ne savait pas où il était ni comment il y était arrivé et, avec les cris et les hurlements, il se demandait s'il était mort et en enfer. À ce moment-là, Betty ouvrit la porte toute grande.

— Il neige ! cria-t-elle.

Bientôt, tous les gens de la rue se retrouvèrent dans leurs jardins, plus ou moins vêtus, criant à tue-tête, sautillant et montrant du doigt tous les cardinaux qui grouillaient toujours partout. Des centaines d'oiseaux, en volée d'une vingtaine, s'étaient perchés sur les arbres ou voletaient dans les buissons. Avec la tête douloureuse et la gueule de bois, Oswald eut du mal à remettre ses chaussures. Quand il finit par sortir, il fut encore plus confondu. À sa sortie du placard, où il faisait un noir d'encre, il se retrouvait dans un monde d'une blancheur éblouissante, juste à temps pour voir passer une volée de cardinaux.

Quel spectacle ! Il tombait toujours de gros flocons de neige duveteuse et, une fois dans la rue, Oswald se sentit comme s'il était dans un de ces presse-papiers qu'on aurait tout juste retourné. Il se demanda s'il était encore ivre, mais il eut soudain l'impression de se retrouver dans une image de conte de fées qui aurait pu illustrer un livre pour enfants. La mousse espagnole, elle aussi couverte de neige, ressemblait à de longues barbes qui tombaient des arbres. Dès qu'elle vit Oswald, Patsy courut vers lui et lui prit la main, les joues rouges et les yeux brillants.

— Je l'ai vu, monsieur Campbell. Il est revenu, exactement comme vous aviez dit qu'il le ferait si je l'espérais assez fort. Il s'est posé sur le bord de ma fenêtre et il m'a fait un clin d'œil. Regardez, dit-elle en lui indiquant tous les oiseaux, ce sont tous ses amis. Je savais qu'il reviendrait !

Oswald leva les yeux alors qu'une volée atterrissait sur l'arbre au-dessus d'eux en les saupoudrant de neige.

À ce moment, Oswald se demanda s'il était mort et au paradis, mais si par hasard il était encore vivant, il promit à Dieu de ne plus jamais boire de sa vie.

Oh ! quelle matinée !

Betty rentra à la course pour appeler son amie Elizabeth Shivers, à Lillian.

— Peux-tu le croire ? lui demanda-t-elle d'une voix excitée. As-tu jamais rien vu de tel dans toute ta vie ?

— Quoi ?

— La neige ! Regarde par la fenêtre ! Et nous avons tout plein de cardinaux. Et vous ?

Elizabeth, qu'elle avait réveillée, regarda par la fenêtre.

— Betty, dit-elle, il n'y a pas de neige ici. Et de quels cardinaux parles-tu ?

❖

Entre-temps, les Créoles, qui avaient entendu les cris s'élever au-delà de la rivière, se demandaient ce qui se passait. Quand ils sortirent de chez eux, ils virent la neige tomber sur l'autre rive. Tout le monde était sur les quais et les enfants créoles, qui n'avaient jamais vu de neige, piquèrent une crise pour aller voir cela de plus près. Finalement, les adultes eux-mêmes ne purent résister et ils firent ce qu'ils n'avaient pas fait depuis dix-neuf ans. La neige tombait toujours quand, un par un, ils montèrent dans leurs bateaux et se mirent à traverser la rivière à la rame pour retrouver les gens d'en face. Bientôt, toute la rue fut remplie d'hommes, de femmes et d'enfants créoles qui se joignaient à leurs voisins pour rire et danser dans la neige. En moins d'une heure, la rumeur s'était répandue par téléphone et Lost River fut bondé de personnes venues de toute la région pour admirer la neige et les cardinaux. La plupart des enfants présents voyaient de la neige pour la première fois. Quant aux adultes, c'était certainement la première fois qu'ils en voyaient à Lost River. Mais personne, parmi tous ces gens, n'avait jamais vu autant de cardinaux.

Frances, Sybil et Dottie allèrent ouvrir la salle communautaire où elles préparèrent du café et du chocolat chaud pour tout le monde et, quand elles allumèrent les lumières à l'intérieur, l'arbre de Noël à l'extérieur s'illumina aussi. C'était presque comme un deuxième jour de Noël. Même si c'était dimanche, Roy ouvrit le magasin en l'honneur de la neige et donna gratuitement des bonbons aux enfants et de la bière aux adultes. Il était occupé à déboucher une canette pour Mildred, qui s'était jointe à la fête, quand il leva les yeux et aperçut Julian LaPonde, debout devant la porte, qui regardait à l'intérieur. Au moment où les autres le virent à leur tour, le silence se fit dans le magasin. Tous retinrent leur souffle, se demandant ce qui allait arriver. Les deux hommes se fixaient sans bouger. Puis Roy avança et ouvrit la porte.

— Entre, Julian, dit-il, laisse-moi t'offrir une bière.

Il savait combien Julian était un homme fier et combien cela avait dû lui être difficile de faire les premiers pas. À la stupéfaction générale, Julian entra et prit la bière.

Plus tard, Oswald se rendit au bord de la rivière et observa les pélicans, les canards et les aigrettes qui essayaient de comprendre ce qu'était ce truc blanc sur la rivière. Trois pélicans glissèrent sur un poteau et tombèrent dans l'eau, furieux. Oswald éclata de rire.

À la fin de l'avant-midi, le soleil apparut, et la neige se mit à fondre, mais pas avant que les voitures de trois personnes, qui ignoraient complètement comment conduire dans ces conditions, ne s'emboutissent. Plusieurs incidents étranges et inhabituels se produisirent ce jour-là. Dans son excitation, Oswald avait oublié son état et, à l'encontre des recommandations du médecin, il resta dehors dans la neige toute la matinée. Mais il n'attrapa pas de pneumonie et ne mourut pas. Il n'attrapa même pas le rhume. Mais l'événement le plus important, de loin, était que Patsy avait vu son vœu se réaliser. Elle avait revu son ami Jack.

Par la suite se posèrent naturellement de nombreuses questions. Pourquoi avait-il neigé seulement à Lost

River? Pourquoi tant de cardinaux s'étaient-ils réunis? Pourquoi cet oiseau avait-il fait un clin d'œil à Patsy? Bien sûr, personne ne pouvait être absolument certain de ce qui s'était passé ce matin-là, mais Mildred avait une théorie. Elle se rendit chez sa sœur et se campa au milieu de la salle de séjour, les mains sur les hanches.

— Frances, déclara-t-elle d'un ton agressif, je la crois. Je crois qu'elle a vraiment vu Jack.

— Mais, Mildred, comment veux-tu? Nous savons toutes les deux qu'il est mort depuis des mois.

— Je m'en fiche, dit Mildred. Je crois qu'elle l'a vu, j'ignore comment et pourquoi, mais elle l'a vu.

Mildred regarda alors sa sœur droit dans les yeux, sérieuse comme un pape.

— Frances, je crois que ç'a été un genre de miracle.

— Vois-tu, dit Frances après y avoir réfléchi, je ne sais pas ce que c'était, si elle a vraiment vu Jack ou si elle croit seulement l'avoir vu, mais je n'ai pas l'intention de me poser de questions. Elle a recommencé à manger, et c'est tout ce qui m'intéresse.

Évidemment, si le même événement s'était produit le matin de Noël, au lieu du lendemain, beaucoup plus de gens auraient peut-être cru à un miracle. Tout le monde avait quand même sa propre théorie sur ce qui était arrivé. Pour Patsy, c'était le père Noël qui l'avait fait; il avait seulement été un jour en retard. Et, selon tous les météorologues, il y avait une explication parfaitement scientifique à la chute de neige subite. Un front froid venant de l'est était descendu du Canada et s'était rendu jusqu'au nord de la Floride, faisant baisser la température à trois degrés, et l'humidité de la rivière pouvait avoir amené la neige à tomber uniquement dans son voisinage. Les ornithologues consultés expliquèrent le phénomène en disant que les cardinaux rouges s'étaient déjà attroupés en très grand nombre par temps froid ; et, comme ce ne sont pas des oiseaux migrateurs, ils avaient probablement été dans la région tout ce temps, cachés par le feuillage épais. Toutefois, Roy et Butch croyaient plutôt que c'étaient les cent kilos de graines de tournesol qu'ils avaient répandus au beau milieu de la nuit de Noël, dans l'espoir d'attirer un cardinal pour Patsy, qui les avaient appâtés. Roy avait dit que, si un seul cardinal dans un rayon de cent kilomètres aimait les graines de tournesol autant que Jack, ils avaient peut-être une chance. Mais quant à savoir pourquoi un cardinal en particulier avait atterri sur le rebord de la fenêtre de Patsy et lui avait fait un clin d'œil, personne n'avait de réponse.

Avec le temps, des choses encore plus étranges et singulières commencèrent à se produire. La nuit où Roy avait traversé la rivière avec Jack, il avait découvert que Marie avait divorcé d'avec son mari. Après avoir été séparés si longtemps, Marie et Roy purent enfin vivre ensemble. Avec ses deux enfants à elle, le célibataire endurci de Lost River deviendrait bientôt chef de famille.

Mais les histoires d'amour ne s'arrêtèrent pas là. Quelques mois après l'affaire des oiseaux, Frances Cleverdon prit une décision-surprise. Un matin, elle se rendit chez Betty pour parler à Oswald.

— Écoutez : je n'ai jamais cru vouloir avoir un autre mari, mais je vous choisirais si vous êtes d'accord. Patsy a besoin d'un papa. Elle vous aime, et moi aussi.

Oswald fut stupéfait. Mais après le départ de Frances, il réfléchit et s'aperçut qu'il adorait tout de cette femme, de sa collection de saucières à sa cuisine toute rose. Il avait seulement été trop idiot pour s'en rendre compte auparavant. En vérité, il adorerait être son mari et le papa de Patsy. Mais avant de donner sa réponse à Frances, Oswald décida de retourner voir son médecin à Chicago. Ce n'était que justice qu'elle connaisse l'état de l'homme qu'elle allait épouser et le temps qu'il lui restait à vivre.

À son arrivée à Chicago, quand il appela pour prendre rendez-vous, il apprit la mort de son médecin. Toutefois, son fils, le docteur Mark Obecheck III, avait tout le dossier d'Oswald et accepta de le rencontrer le lendemain. Après l'avoir examiné et avoir consulté les résultats de ses tests, il revint dans le bureau et regarda son patient.

— Alors, monsieur Campbell, j'ai une bonne et une mauvaise nouvelle. Laquelle voulez-vous savoir d'abord?

Le cœur d'Oswald se serra. Contre toute attente, il avait espéré n'avoir que de bonnes nouvelles.

— Je suppose que je suis mieux de commencer par la mauvaise, dit-il.

— La mauvaise nouvelle, c'est que vous n'aurez plus droit à votre pension d'invalidité.

— Quoi?

— Et la bonne nouvelle, c'est que vos poumons ont bien meilleure mine que lors de votre dernier examen. Vous faites du bon travail, monsieur Campbell. Continuez.

— Vraiment? Combien de temps me reste-t-il?

— Combien de temps voulez-vous?

— Toujours.

— Ça, monsieur Campbell, je ne peux vous le promettre, mais vous pouvez essayer.

— Merci, docteur. Je vais faire de mon mieux.

Avant de repartir, il téléphona à son ex-femme, Helen, pour lui annoncer la bonne nouvelle, et elle en fut très heureuse pour lui.

En retournant vers Frances et Patsy, Oswald se sentait l'homme le plus veinard de la terre. Et il le devait à Horace P. Dunlap et à cette vieille brochure défraîchie. Il n'était plus un visiteur occasionnel à Lost River. Il était maintenant un résidant permanent. Et, comme si ce n'était pas encore assez de bonnes nouvelles, le lendemain du retour d'Oswald de Chicago, mademoiselle Alma, la mère de Betty, descendit et, comme si de rien n'était, déclara qu'elle pensait faire de la pâtisserie ce jour-là. Tout le monde appréciait tellement ses gâteaux élaborés et ses petits fours que Betty Kitchen décida d'ouvrir ses propres chambres d'hôte, avec boulangerie.

Patsy, heureuse de savoir Jack vivant et en bonne santé, retourna à l'hôpital pour terminer sa thérapie. En moins d'un an, elle réussit à marcher sans la moindre claudication. Toutefois, Butch Mannich continua quand même à se rendre à Atlanta tous les week-ends et, six mois plus tard, de nouveaux plats de tamales et d'enchiladas s'ajoutèrent en permanence aux dîners de la communauté, préparés par sa nouvelle épouse, Amelia Martinez.

Le dénouement le plus inattendu impliqua Mildred. Le lendemain de Noël, quand Julian LaPonde était entré dans le magasin, elle avait trouvé que c'était le plus bel homme qu'elle ait jamais vu. Et Julian, qui était veuf, en apercevant Mildred, avait demandé à Roy :

— Qui est-ce ?

Après une cour passionnée, Mildred, maintenant en blond platine, s'était enfuie avec Julian, et ils vivaient maintenant à La Nouvelle-Orléans, où ils s'amusaient follement.

— Voilà ce qui arrive à force de lire tous ces livres scabreux, fit remarquer Dottie Nivens.

Elle s'assit et se mit à écrire sa propre œuvre, qui gagna le prix du meilleur premier roman des Romance Writers of America. Au moins, elle était devenue une vraie femme de lettres, à la fois en littérature et au bureau de poste.

Cinq ans plus tard, juste avant un autre Noël, Oswald T. Campbell, de retour d'une réunion au palais de justice du comté, annonça une grande nouvelle à Frances.

— Eh bien, ma chérie, on dirait que nous ne sommes plus perdus. On nous a trouvés !

La veille de Noël, on dévoila une nouvelle affiche devant la salle communautaire :

BIENVENUE À REDBIRD, ALABAMA
un sanctuaire d'oiseaux
Population: 108

Ce soir-là, quand Butch alluma les lumières de l'arbre de Noël, la nouvelle affiche s'éclaira. Oswald serra la main de Frances et ils sourirent tous les deux à Patsy qui était dans le groupe des enfants.

Oswald se pencha alors vers Frances.

— N'est-ce pas extraordinaire comme un petit oiseau peut changer la vie de tant de gens ?

Et c'était vrai.

Épilogue

Même si Oswald avait perdu sa pension d'invalidité, grâce aux clients riches qui fréquentaient la galerie d'art du Grand Hotel, son travail fut bientôt reconnu et, à sa grande surprise, il devint un artiste célèbre. Malgré tous ses succès ultérieurs, tout le monde s'entendait pour dire que sa meilleure œuvre était accrochée dans la salle communautaire de Redbird, et les gens venaient de partout juste pour voir le portrait de Patsy et de Jack le jour de leur anniversaire.

Quant à Patsy, elle est maintenant vétérinaire, spécialisée dans le traitement des oiseaux, et elle est devenue une ravissante jeune femme, avec ses propres enfants. Parfois, quand elle marche dans la rue, surtout pendant la période de Noël, un cardinal en vol passe à côté d'elle… et cela la fait toujours sourire.

Recettes

Gelée de raisins de Frances Cleverdon

1,25 l (5 tasses) de jus de raisin*
5 ml (1 c. à thé) d'huile
1 boîte de pectine en poudre
1,4 kg (7 tasses) de sucre

Dans une grande casserole à fond épais, mélanger le jus et l'huile. Ajouter la pectine et amener à forte ébullition (une ébullition qui ne s'arrête pas lorsqu'on mélange). Laisser bouillir 2 minutes. Ajouter le sucre d'un seul coup et ramener à forte ébullition. Laisser bouillir encore 2 minutes, en remuant constamment. Verser dans des bocaux stérilisés de 500 ml (2 tasses), sans trop les remplir, et sceller.

* 500 g (1 lb) de raisins = 250 ml (1 tasse) de jus

4 BOCAUX DE 500 ML (2 TASSES)

Rougets frits de Claude Underwood

6 rougets nettoyés, évidés
1/2 c. à café de sel
1/4 c. à café de poivre
Sauce piquante (facultatif)
150 g (1 tasse) de farine
140 g (1 tasse) de semoule de maïs
40 g (1/4 tasse) de shortening ou de graisse de bacon

Saler et poivrer les rougets de chaque côté; si désiré, les arroser de sauce piquante. Laisser reposer à température ambiante 10 minutes. Mélanger la farine et la semoule de maïs et enrober les rougets de ce mélange. Faire frire les rougets dans le shortening, pendant 8 à 10 minutes ou jusqu'à ce qu'ils soient dorés de chaque côté, en ne les tournant qu'une seule fois.

6 PORTIONS

Délice royal de Mildred

1 boîte de salade de fruits
1 boîte d'ananas broyés
165 g (1 1/2 tasse) de pacanes hachées
1 petit contenant de crème aigre
Noix de coco râpée
Cerises au marasquin

Égoutter la salade de fruits et les ananas. Dans un bol, mélanger les fruits et les pacanes à la crème aigre. Saupoudrer de noix de coco et garnir de cerises au marasquin. Réfrigérer.

Nachos au bœuf d'Amelia Martinez

500 g (1 lb) de bœuf haché
1 gros oignon en dés
1 sachet d'assaisonnement à tacos dilué dans l'eau
1 paquet de croustilles au maïs
Cheddar râpé
Mozzarella râpée
Piments Jalapeño en tranches
1 bocal de salsa (épaisse avec morceaux)

Faire revenir la viande et l'oignon jusqu'à ce qu'ils soient cuits. Égoutter l'excès de gras. Ajouter l'assaisonnement à tacos. Cuire à feu doux pendant 10 à 15 minutes. Disposer les croustilles sur une plaque à biscuits huilée. Déposer le mélange de viande par cuillérée sur les croustilles. Saupoudrer les fromages et garnir avec les tranches de Jalapeño. Cuire au four à 180 °C (350 °F) environ 5 minutes ou jusqu'à ce que le fromage soit fondu. Réchauffer la salsa et la servir en accompagnement.

Casserole de légumes

1 boîte de haricots verts à la française égouttés
1 boîte de petits maïs entiers égouttés
1/2 poivron en dés
1 petit oignon en dés
1 branche de céleri en dés
125 ml (1/2 tasse) de crème aigre
1 boîte de crème de céleri non diluée
60 g (1/2 tasse) d'amandes effilées
Sel et poivre
100 g (1 tasse) de craquelins salés émiettés

Mélanger tous les ingrédients, sauf les craquelins émiettés, et déposer dans un plat à gratin beurré. Saupoudrer les craquelins et cuire à 180 °C (350 °F) pendant 45 à 50 minutes.

Tarte à la lime des Keys de Mildred

4 œufs (blancs et jaunes séparés)
75 ml (1/3 tasse) de jus de citron vert
1 boîte de lait concentré sucré
1 fond de tarte fait de biscuits Graham dans un
moule de 23 cm (9 po) de diamètre
150 g (3/4 tasse) de sucre
1/2 c. à café de crème de tartre

Mélanger les jaunes d'œufs avec le jus de citron vert. Ajouter le lait concentré. Fouetter un blanc d'œuf jusqu'à ce qu'il soit ferme et l'incorporer en pliant dans le mélange de jaunes d'œufs. Verser dans la croûte. Fouetter les 3 autres blancs d'œufs et ajouter graduellement le sucre et la crème de tartre. Fouetter jusqu'à ce que la meringue soit ferme et brillante. Recouvrir la tarte de meringue. Cuire au four à 180 °C (350 °F) jusqu'à ce que la meringue soit dorée.

Ambroisie de Noël de la cuisine de Betty

12 grosses oranges sans pépins, pelées, en quartiers
500 g (1 lb) de noix de coco sucrée
100 g (1/2 tasse) de sucre

Couper les quartiers d'oranges en deux. Mélanger avec la noix de coco et le sucre dans un grand bol. Couvrir et réfrigérer toute la nuit.

10 À 12 PORTIONS

Aspic de tomate picoté

3 enveloppes de gélatine sans saveur
1,25 l (5 1/2 tasses) de jus de tomate
2 c. à soupe d'oignon haché fin
2 c. à soupe de sucre
1 c. à soupe de jus de citron
1/2 c. à café de sel
2 branches de céleri émincé
1 poivron vert en dés (facultatif)
Feuilles de laitue et mayonnaise

Dans une grande casserole, saupoudrer la gélatine sur 375 ml (1 1/2 tasse) de jus de tomate. Laisser gonfler une minute. Cuire à feu moyen en remuant jusqu'à ce que la gélatine soit dissoute. Incorporer l'oignon, le sucre, le jus de citron, le sel et le reste du jus de tomate. Refroidir jusqu'à ce que la préparation ait la consistance d'un blanc d'œuf cru. Incorporer le céleri et, si désiré, le poivron. Verser la préparation dans un moule huilé d'une capacité de 1,5 l (6 tasses). Couvrir et réfrigérer jusqu'à ce que l'aspic soit ferme. Servir sur des feuilles de laitue et garnir de mayonnaise.

10 À 12 PORTIONS

Doliques à œil noir de la nouvelle année

420 g (2 tasses) doliques à œil noir secs
1,5 l (6 tasses) d'eau bouillante
45 g (1 1/2 oz) de lard salé ou 4 à 5 tranches de
  bacon
1 c. à café de sel
Eau

Mettre les doliques dans un grand bol, verser l'eau bouillante et laisser reposer 2 heures. Rincer le lard salé, faire un X sur le dessus de la couenne sans toutefois la transpercer complètement. Déposer le lard salé et le sel dans un chaudron en fonte émaillée. Égoutter les doliques et les ajouter dans le chaudron. Verser de l'eau pour couvrir les doliques. Amener à ébullition, couvrir et laisser mijoter à feu doux 1 à 2 heures ou jusqu'à ce que les doliques soient tendres. Durant la cuisson, ajouter de l'eau au besoin afin que les doliques soient tout juste couverts.

4 À 6 PORTIONS

Casserole de patates douces

3 ou 4 patates douces cuites
200 g (1 tasse) de sucre
1/2 c. à café de sel
1/2 c. à café de cannelle
1/4 c. à café de toute-épice
Une pincée de muscade
2 œufs
180 ml (3/4 tasse) de lait concentré
50 ml (1/4 tasse) d'eau
1/2 paquet de guimauves

Garniture
30 g (1 tasse) de Corn Flakes écrasés
6 c. à soupe de beurre fondu
200 g (1 tasse) de cassonade
75 g (1/2 tasse) de pacanes

À l'aide d'un mixeur, battre les patates douces avec le sucre, le sel, les épices, les œufs, le lait concentré et l'eau jusqu'à consistance homogène. Verser dans un plat huilé allant au four et cuire à 190 °C (375 °F) de 30 à 35 minutes. Déposer les guimauves sur le dessus et faire dorer.

Garniture
Mélanger les Corn Flakes et le beurre fondu. Incorporer la cassonade et les pacanes. Mélanger pour obtenir une chapelure grossière. En parsemer le dessus des patates douces et cuire 10 minutes de plus.

Ce plat se prépare jusqu'à 2 jours à l'avance.

Cette recette peut aussi se transformer en tarte. Il s'agit de verser la préparation de patates douces dans un fond de tarte non cuit et de mettre au four à 190 °C (375 °F) pendant 25 minutes ou jusqu'à ce que la tarte soit dorée.

Gratin de maïs

1 grosse boîte de maïs en crème
1 boîte de maïs en grains
2 œufs battus
100 g (1/2 tasse) de beurre
1 boîte (250 g) de mélange à muffins au maïs
250 ml (1 tasse) de crème sûre ou de yaourt

Combiner tous les ingrédients et bien mélanger. Verser dans un moule de 23 x 33 cm (9 x 13 po) et cuire au four à 180 °C (350° F) pendant 45 minutes ou jusqu'à ce que le centre soit ferme au toucher.

Macaronis au fromage de Frances

500 ml (2 tasses) de lait
3 c. à soupe de margarine fondue
2 c. à soupe de farine tout usage
1/2 c. à café de sel
1/2 c. à café de poivre
3 œufs battus
500 g (5 tasses) de macaronis (coudes) cuits
300 g (2 1/2 tasses) de fromage cheddar râpé
100 g (3/4 tasse) de chapelure (ou miettes de biscuits
   salés)

Préchauffer le four à 180 °C (350° F). Combiner les six premiers ingrédients dans un bol et fouetter jusqu'à consistance lisse. Étaler la moitié des macaronis dans le fond d'un plat carré de 23 cm (9 po) beurré, répartir sur le dessus les deux tiers du fromage et couvrir du reste des macaronis. Verser le mélange liquide sur la préparation et saupoudrer de chapelure. Cuire au four pendant 50 minutes avant de répartir sur le dessus le reste du fromage. Cuire encore 5 minutes ou jusqu'à ce que le gratin soit ferme.

6 À 8 PORTIONS

Pain d'épices (le préféré de Patsy)

400 g (2 3/4 tasses) de farine
1 1/2 c. à café de bicarbonate de soude
1/2 c. à café de sel
1 c. à café de cannelle
1 1/2 c. à café de gingembre en poudre
1/4 c. à café de clou de girofle moulu
165 ml (2/3 tasse) d'eau
80 ml (1/3 tasse) de shortening fondu
250 ml (1 tasse) de mélasse
1 œuf battu

Préchauffer le four à 180 °C (350° F). Dans un grand bol, combiner les ingrédients secs et bien mélanger. Fouetter ensemble l'eau, le shortening, la mélasse et l'œuf. Ajouter aux ingrédients secs et bien mélanger. Verser dans un moule carré de 23 cm (9 po) beurré. Cuire au four pendant 35 à 40 minutes ou jusqu'à ce qu'un cure-dent inséré au centre en ressorte propre. Servir tiède avec la sauce au citron (p. 242).

6 PORTIONS

Sauce au citron

100 g (1/2 tasse) de sucre
1 1/2 c. à soupe de farine
250 ml (1 tasse) d'eau
3 c. à soupe de jus de citron
Une pincée de sel
2 c. à soupe de beurre ramolli

Dans une petite casserole, combiner le sucre et la farine. En remuant à l'aide d'une cuillère en bois, incorporer l'eau, le jus de citron et le sel. Porter à ébullition et cuire sans cesser de remuer jusqu'à ce que le sucre soit fondu. Baisser le feu et laisser mijoter une minute. Retirer du feu et ajouter le beurre en fouettant, une cuillerée à la fois. Servir chaud ou à température ambiante.

250 ML (1 TASSE)

Tarte au bourbon de Dottie Nivens

200 g (1 tasse) de sucre
250 ml (1 tasse) de sirop de maïs
50 g (1/4 tasse) de beurre ou de margarine
4 œufs battus
60 ml (1/4 tasse) de bourbon
1 c. à café de vanille
Une pincée de sel
100 g (1 tasse) de pépites de chocolat mi-sucré
150 g (1 tasse) de pacanes hachées
1 fond de tarte non cuit dans un moule de 23 cm
  (9 po) de diamètre

Préchauffer le four à 160 °C (325 °F). Dans une petite casserole, combiner les trois premiers ingrédients et cuire à feu moyen en remuant constamment jusqu'à ce que le beurre soit fondu et le sucre dissous. Refroidir légèrement. Dans un grand bol, battre les œufs, le bourbon, la vanille et le sel. Ajouter graduellement la préparation de sucre en fouettant bien. Incorporer les pépites de chocolat et les pacanes. Verser dans le fond de tarte. Cuire 50 à 55 minutes ou jusqu'à cuisson complète. Servir chaud ou très frais.

Île flottante

2 œufs (blancs et jaunes séparés)
2 c. à soupe de sucre
Sel
500 ml (2 tasses) de lait chaud
1 c. à café de vanille
4 c. à soupe de sucre glace

Préchauffer le four à 150 °C (300 °F). Fouetter les jaunes d'œufs avec le sucre et une pincée de sel. Ajouter le lait chaud et la vanile en mélangeant doucement. Verser dans la partie supérieure d'un bain-marie et cuire en remuant constamment jusqu'à l'obtention d'une crème onctueuse. Verser dans un plat de service et réserver. Battre en neige ferme les blancs d'œufs avec une pincée de sel. Incorporer le sucre glace, une cuillerée à la fois, en battant entre chaque addition. Verser dans un bol en verre huilé pouvant aller au four. Déposer dans un plat contenant de l'eau et cuire au four jusqu'à ce que le dessus blondisse, environ 30 minutes. Laisser refroidir complètement dans le bol.
Disposer la meringue sur la crème.

Tartes aux pacanes du Sud

200 g (1 tasse) de sucre
2 œufs bien battus
6 c. à soupe de beurre ramolli
4 c. à soupe de lait
150 g (1 tasse) de pacanes
50 g (1/2 tasse) de raisins secs (facultatif)
1 fond de tarte profond non cuit dans un moule de
   23 cm (9 po) de diamètre

Battre ensemble le sucre, les œufs, le beurre et le lait. Ajouter les pacanes et les raisins secs. Verser dans le fond de tarte et cuire au four à 180 °C (350 °F) pendant 40 à 45 minutes. Servir froid.

Pouding aux bananes de Betty Kitchen

600 g (3 tasses) de sucre
75 g (1/2 tasse) de farine
4 c. à soupe de fécule de maïs
6 œufs (blancs et jaunes séparés) plus 2 jaunes
  d'œufs
1,75 l (7 tasses) de lait
25 g (4 c. à soupe) de margarine
2 c. à café de vanille
1 boîte de 500 g de gaufrettes à la vanille
10 ou 12 bananes pelées, en tranches

Réserver 100 g (1/2 tasse) de sucre. Dans une grande casserole à fond épais, mélanger le reste du sucre avec la farine et la fécule. Dans un bol, battre les 8 jaunes d'œufs avec le lait et incorporer au mélange de sucre en fouettant. Ajouter la margarine et cuire à feu moyen, en remuant constamment, jusqu'à ce que le mélange épaississe. Ajouter une cuillerée de vanille et laisser refroidir. Préchauffer le four à 220 °C (425 °F). Couvrir le fond d'un moule de 23 x 33 cm (9 x 13 po) avec le tiers des gaufrettes, disposer dessus le tiers des bananes et verser un tiers de la crème. Répéter deux fois. Battre en neige ferme les blancs d'œufs, en ajoutant le sucre réservé, une cuillerée à la fois. Incorporer une cuillère de vanille. Couvrir le pouding avec la meringue. Cuire au four 10 minutes ou jusqu'à ce que le dessus soit doré. Réfrigérer une nuit avant de servir.

12 PORTIONS

Gratin de courges

1,5 kg (3 lb) de courges d'été pelées, en morceaux
2 œufs
1 c. à soupe de sucre
1 c. à café de sel
1 c. à café de poivre
1/2 oignon haché
100 g (1/2 tasse) de beurre (ou moins)
75 g (1/2 tasse) de chapelure

Dans une casserole avec un peu d'eau, cuire les courges environ 10 minutes, jusqu'à ce qu'elles soient tendres. Égoutter. Ajouter directement dans la casserole les œufs, le sucre, le sel, le poivre, l'oignon et la moitié du beurre. Mettre la préparation dans un plat à gratin beurré. Faire fondre le reste du beurre et en arroser le dessus. Saupoudrer de chapelure et cuire au four à 190 °C (375 °F) pendant une heure ou jusqu'à ce que le dessus soit doré.

À propos de l'auteur

Fannie Flagg a commencé à écrire et à participer à des émissions de télévision à l'âge de dix-neuf ans. Depuis, elle a continué à s'illustrer comme actrice et auteur à la télévision, au cinéma et au théâtre. Elle a écrit de nombreux romans à succès louangés par le *New York Times* : *Daisy Fay and the Miracle Man (Daisy Fay et l'homme miracle)*, *Fried Green Tomatoes at the Whistle Stop Cafe (Beignets de tomates vertes,* qui a donné le film *Fried Green Tomatoes* produit par Universal Picture), *Welcome to the World, Baby Girl!* et *Standing in the Rainbow.* Son scénario pour le film *Fried Green Tomatoes* a été sélectionné à la fois pour le prix de l'Academy et celui de la Writers Guild of America, et a obtenu le prestigieux Scripters Award. Madame Flagg vit en Californie et en Alabama.